D0610982

Opération Pyro

Une aventure de Marie-Pier et Valérie

Saint-Ours

RETIRÉ DE LA COLLECTION
DE LA
BIBLIOTHÈQUE DE LA VILLE DE MONTRÉAL

Opération Pyro

Une aventure de Marie-Pier et Valérie

roman

Boréal

Maquette de la couverture : *Rémy Simard*
Illustration de la couverture : *Marisol Sarrazin*

© **Les Éditions du Boréal**
Dépôt légal : 1er trimestre 1991
Bibliothèque nationale du Québec

Diffusion au Canada : Dimedia

Données de catalogage avant publication (Canada)

Saint-Ours

Opération Pyro
(Boréal Inter ; 10)
Pour les jeunes.

ISBN 2- 89052-388-8

I. Titre. II. Collection.

PS8587.A46063 1991 jC843'.54 C91-096093-3
PS9587.A46063 1991
PZ23.S24Op 1991

H145691

1

Ce matin-là, Marie-Pier arriva à l'école un peu plus tard que d'habitude. À la maison, elle avait dû réparer les dégâts de son chat, Misti. L'animal avait renversé une plante verte qui trônait sur une petite table du salon.

C'était un matin de décembre. Il faisait trop froid pour rester dehors. Tous les élèves étaient dans la « grande salle ». Marie-Pier arriva en courant. Essoufflée et l'air inquiète. Elle voulait absolument voir Perlette avant le début des cours.

Dans sa course folle, elle arriva face à face avec son amie Valérie :

— As-tu vu Perlette ?

— Non. Pourquoi veux-tu la voir ? demanda Valérie.

— Je t'expliquerai plus tard. Je suis trop pressée maintenant.

Marie-Pier se faufila entre les élèves. Elle regardait de tous côtés. Valérie la suivait de près. Les cours allaient commencer et Perlette n'était toujours pas là. Marie-Pier avançait en bousculant tout le monde.

— Veux-tu me dire ce que tu lui veux, à Perlette ?

Marie-Pier s'arrêta brusquement :

— Écoute bien, Valérie ! Il faut que je lui parle. Hier, elle est venue me voir. Elle voulait me dire quelque chose. Après avoir bafouillé quelques mots que je n'ai pas compris, elle s'est mise à pleurer. Puis, elle est repartie en courant. Ça devait être important. Peut-être avait-elle besoin d'aide ?

Le son de la cloche annonça le départ vers les classes. Les élèves se rendirent à leurs cours. Marie-Pier hésita. Elle regarda une nouvelle fois autour d'elle. Perlette n'était toujours pas arrivée.

*   *   *

Après la récréation, au moment où Marie-Pier allait reprendre sa place en classe, son professeur de français l'aborda :

— Tiens, Marie-Pier. On m'a demandé de te remettre cette lettre.

Le professeur lui tendit une enveloppe sur laquelle on lisait :

« À Marie-Pier Charette
Personnel et confidentiel
Secondaire II »

Marie-Pier était visiblement énervée.

À l'intérieur de l'enveloppe, elle trouva un petit feuillet rose :

> « Chère Marie-Pier,
>
> « Je m'excuse pour l'autre jour. J'aurais voulu te parler mais je n'en étais pas capable. Quand je retournerai à l'école, il faudra que je te parle. Je t'expliquerai alors ce qui m'arrive. Pour le moment, je ne sais pas quand j'y retournerai. D'ici quelques jours ou peut-être quelques semaines. Je te trouve très gentille. »
>
> « Perlette »

Marie-Pier relut le billet plusieurs fois. Elle se demandait ce qui avait bien pu arriver à Perlette. Elle glissa l'enveloppe et le billet dans son cartable.

2

À la fin des cours, Marie-Pier accrocha Valérie par le bras :

— Il faut que je te parle. Il se passe des choses étranges.

Les deux amies quittèrent l'école au pas de course. Une fois dans la rue, Valérie voulut en savoir plus long :

— Mais que se passe-t-il ?

— J'ai reçu une lettre de Perlette. On dirait qu'elle me lance un S.O.S. On dirait qu'elle a besoin d'aide. Viens chez moi, je vais te montrer sa lettre.

Marie-Pier entraîna Valérie chez elle. Toutes les deux habitaient près de l'école, et faisaient donc toujours le trajet à pied. Mais, en ce jour de décembre, le froid leur piquait les oreilles et le bout des doigts. Marie-Pier pressa le pas. Valérie avait du mal à suivre.

Enfin, les deux amies arrivèrent chez Marie-Pier et tapèrent leurs pieds contre le sol pour se réchauffer. Le bruit dérangea Valmor, qui sommeillait dans son fauteuil, au salon, devant un feu de foyer. Il cria un ordre :

— Pas tant de bruit, les filles. Et fermez bien la porte, on gèle !

Valmor, c'est le grand-père de Marie-Pier, un policier à la retraite. Il n'est pas toujours facile à vivre et s'énerve surtout quand on le réveille au beau milieu de sa sieste de l'après-midi. Il est impatient et grincheux quelquefois, mais il peut être super-gâteau à l'occasion.

Quand Diane, la mère de Marie-Pier, est en déplacement à l'extérieur de la ville, c'est Valmor qui garde Marie-Pier. Diane est architecte et voyage beaucoup.

Valmor est assez sévère et à cause de cela Marie-Pier se tient tranquille. Elle évite surtout de le déranger pour n'importe quoi. Quand elle a des problèmes, elle s'organise pour les régler elle-même ; ou bien, elle attend de pouvoir en parler avec sa mère.

Le père de Marie-Pier, Serge, est un musicien connu. Il joue dans des grands orchestres, tantôt à New York, tantôt à Paris. Quand il est de passage à la maison, toute la famille se réunit et c'est une grande fête. Mais il est souvent absent. Valmor, lui, est toujours disponible. On peut compter sur lui tout le temps. Somme toute, Marie-Pier aime donc bien son grand-père.

Marie-Pier et Valérie n'ont ni frère

ni sœur. Elles sont presque toujours ensemble, un jour chez l'une, un jour chez l'autre. Et puis, elles s'entendent bien, jamais de gros mots, jamais de chicane. La seule ombre au tableau apparaît lorsque Marie-Pier commence à donner des ordres. Mais cela ne dure jamais très longtemps.

Marie-Pier fit signe à Valérie de la suivre dans sa chambre. Elle prit le billet rose que Perlette lui avait fait parvenir.

— Tiens, lis ça. Je ne sais pas ce que tu en penses, mais moi cela m'inquiète. Il lui est sûrement arrivé quelque chose, tu ne penses pas ?

Valérie lut le billet très lentement.

— Elle est peut-être malade et forcée de rester à la maison ?

— Penses-tu ! Quand elle écrit : « Il faut que je te parle... » ou bien « Je t'expliquerai ce qui m'arrive... » , moi, je sens quelque chose de louche.

Perlette n'est pas le genre de fille à dramatiser pour rien.

— Ouais ! Tu as peut-être raison. Mais je ne comprends pas... C'est pas une fille à problèmes... À l'école, tout le monde l'aime bien...

— Je pense qu'on devrait faire quelque chose.

— Sais-tu où elle demeure, au moins ? demanda Valérie.

— Elle habite rue Les Saules. Mais je ne connais pas l'adresse exacte.

Après un moment de réflexion, Marie-Pier ajouta :

— J'ai une idée ! Si on allait faire un tour dans cette rue ? Le soir, les gens allument les lumières chez eux et on peut très bien les reconnaître de l'extérieur. On verra peut-être Perlette.

— On ne va quand même pas s'arrêter devant toutes les fenêtres, protesta Valérie.

— Pourquoi pas ? C'est pas interdit.

Valérie fit une grimace en signe de protestation.

— Surtout que, ce soir, il fait un froid de canard...

— On s'habillera chaudement. Je te prêterai de grosses chaussettes de laine, répliqua Marie-Pier.

De la cuisine, elles entendirent Valmor crier. Son impatience ne faisait aucun doute.

— Allez les filles ! Le souper est prêt. Approchez ! Ne me faites pas répéter.

Valérie et Marie-Pier prirent place dans la salle à manger aux côtés du grand-père. Valmor n'était pas dans son assiette... même s'il avait le nez dedans ! Il couvait une mauvaise grippe. Chaque fois qu'il éternuait, ses lunettes glissaient dangereusement vers sa soupe. Valérie avait le fou rire. Marie-Pier se cachait la figure dans les mains pour éviter que son grand-père ne la voit rire elle aussi.

Le pauvre Valmor n'arrêtait pas de se moucher, de tousser et de s'essuyer les yeux. Il ne se rendait pas compte de ce qui se passait autour de lui. N'en pouvant plus, Marie-Pier se ressaisit un moment, et demanda :

— Je crois que j'ai assez mangé, grand-père. Je peux aller chez Valérie faire mes devoirs ?

— Si tu veux. Mais rentre avant neuf heures.

Marie-Pier embrassa son grand-père sur la joue. Valmor insista :

— Neuf heures !

— Promis ! Juré ! Tu veux que je te dise ? Tu t'inquiètes trop. C'est mauvais pour la santé.

Valmor poussa un soupir. Ce soir il ne se sentait pas en forme pour lutter.

Marie-Pier et Valérie s'emmitouflèrent dans des manteaux chauds, mirent des chaussettes de laine, des mitaines et des tuques. Elles sortirent de la maison et se dirigèrent vers la rue Les Saules qui était à égale distance de la rue de Marie-Pier et celle de Valérie. Le ciel était clair. Il faisait un froid sec.

Toutes les maisons de la rue Les Saules avaient un seul étage. Marie-Pier s'avança dans la neige jusqu'à la fenêtre d'une petite maison blanche. Valérie, pendant ce temps, l'attendait sur le trottoir. Elle était nerveuse et regardait tout autour d'elle.

— Vois-tu quelque chose ?

— Chut ! répondit Marie-Pier.

Au même instant, un homme de très petite taille qui promenait son gigantesque doberman aperçut les deux filles. Il les observa un moment avec méfiance tandis que son chien ne se décidait pas à faire ce que son maître attendait de lui.

— Vous cherchez quelqu'un ? demanda l'homme en s'avançant vers Valérie.

— Heu !... Oui... On cherche notre amie.

— Pourquoi n'allez-vous pas sonner à la porte plutôt que de regarder à la fenêtre ? ajouta-t-il d'un ton plutôt aigre.

— C'est parce qu'on n'est pas certaines qu'elle habite ici, répondit Marie-Pier, un peu gênée.

L'étranger tira sur la laisse, et s'adressa à son fidèle compagnon.

— Allons, Lupin, dépêche-toi !

Il se tourna de nouveau vers les filles.

— Elle s'appelle comment votre amie ?

— Perlette.

Le petit bonhomme leva un sourcil.

Le prénom ne lui disait rien.

— Perlette Tribasso, ajouta Marie-Pier.

Au nom de Tribasso, le visage du promeneur s'assombrit. Puis une moue se dessina sur sa bouche. Presque une grimace. Même son chien Lupin prit un air dégoûté. Il leva la patte, et un cercle jaune se dessina dans la neige.

— Tribasso, répéta l'homme avec mépris.

Il tira sur la laisse.

— Allez, viens Lupin, on rentre.

Il s'éloigna non sans avoir jeté un dernier mauvais regard aux deux filles.

Valérie et Marie-Pier restèrent immobiles. Leur rencontre avec cet étrange personnage les avait secouées.

3

Le lendemain matin, Marie-Pier et Valérie arrivèrent à l'école plus tôt que d'habitude. La grande salle était presque vide.

— J'te dis que j'ai mal dormi cette nuit, chuchota Valérie.

— Pourquoi ?

— J'ai pas aimé la tête du bonhomme hier soir quand tu lui as donné le nom de Tribasso.

— Il n'y a pas de quoi s'énerver.

Peut-être qu'il s'est disputé avec eux autres ou quelque chose du genre, lança Marie-Pier, avant d'aller rejoindre des compagnes de classe qui se tenaient à l'écart.

Valérie resta seule, songeuse et préoccupée pas l'incident de la veille. L'explication de son amie ne semblait pas la satisfaire. Au bout d'un moment, Marie-Pier revint vers elle.

— J'ai du nouveau.

— Au sujet de Perlette ?

— Justement. Vercin la connaît très bien. Il doit savoir son adresse.

— Vercin... Vercin qui ? ajouta naïvement Valérie.

— Bien voyons ! Fais pas l'innocente. Vercin Brochu !

Valérie n'eut pas le temps de répliquer. Le son de la cloche annonçait déjà le début des cours.

En classe, les deux amies étaient assises côte à côte. Marie-Pier prit une feuille de papier, la plia en quatre et la découpa à l'aide de sa règle de métal. Elle écrivit sur un des feuillets et le glissa à Valérie :

« Valérie,

« Pourquoi as-tu fait semblant de ne pas connaître Vercin Brochu ? Tu le connais aussi bien que moi. »

« Marie-P. »

Au dos du billet, Valérie lui répondit :

« Marie,

« Je n'y ai pas pensé tout de suite. Et puis, qu'est-ce que ça change ? Moi, Vercin, je le trouve un peu trop frais pour moi. C'est pas mon genre. »

« Val »

Le professeur leur lança un coup d'œil. Marie-Pier glissa le message de Valérie sous un livre. Dès que le professeur eut tourné la tête, elle prit un autre feuillet et écrivit :

« Valérie,

« Même si Vercin n'est pas ton genre, nous allons avoir besoin de lui. Il faut lui parler le plus tôt possible. Viens me rejoindre après le cours. »

« Marie-P. »

4

Les vacances de Noël commençaient. Les élèves excités quittèrent l'école en se bousculant vers les autobus jaunes alignés dans le stationnement de l'école. Valérie fut dehors la première et attendit Marie-Pier.

Vercin Brochu déboucha d'une porte latérale et avança en direction de Valérie. Celle-ci était nerveuse et ne savait pas trop quoi faire. Toujours pas de Marie-Pier en vue.

Le jeune homme approchait. Il était seul. Valérie aurait bien voulu le retenir. Mais elle ne voulait pas que Vercin pense qu'elle cherchait à attirer son attention. D'un air indifférent, Valérie lui lança :

— Hé, Brochu ! Ne te sauve pas. Marie-Pier Charette veut te parler.

— Qu'est-ce qu'elle me veut, Marie-Pier ?

— Disons que... j'aimerais mieux qu'elle te le dise elle-même.

Sur ces entrefaites apparut Marie-Pier. Vercin lui dit d'un ton de m'as-tu-vu :

— Il paraît que tu veux me parler ?

— Oui. Si tu as une minute.

Et sur le même ton que lui, elle ajouta :

— Ne crains rien. Ça ne sera pas long. J'ai juste un renseignement à te demander.

Vercin se montra plus conciliant.

— Si je peux t'aider, ça me ferait plaisir.

— Je pense que tu connais bien Perlette Tribasso.

— Oui. Je la connais.

— Pourrais-tu me donner son adresse ?

Vercin réfléchit une seconde.

— Je sais qu'elle habite dans une petite rue pas très loin d'ici.

— Rue Les Saules, je sais. Mais cc que je veux savoir c'est son adresse exacte, insista Marie-Pier.

— Attends un peu... C'est... Ah ! Je dois l'avoir à la maison, dans mon carnet personnel.

— Tu ne la sais pas par cœur ? demanda Marie-Pier.

— Non. Mais si vous voulez m'accompagner à la maison, je vous la donnerai.

Dans le vaste terrain de stationnement,

les moteurs des autobus tournaient. Un premier véhicule s'était déjà engagé dans la rue qui longe l'école. Vercin partit au pas de course, puis s'arrêta brusquement.

— Dépêchez-vous, les filles ! Mon autobus va partir !

Marie-Pier se tourna vers Valérie et lui dit à voix basse :

— Puisqu'il insiste, allons-y.

Ils partirent tous les trois en courant et sautèrent dans l'autobus scolaire juste au moment où il allait fermer ses portes.

* * *

Les Brochu habitaient une magnifique villa en pierre, construite au milieu d'un grand terrain rempli de sapins et d'épinettes.

La brunante était descendue lorsque l'autobus s'arrêta en face de la maison de Vercin. On était à quelques jours de Noël et les arbres brillaient sous les lumières rouges, bleues et vertes accrochées aux branches. Tout autour, la neige avait perdu sa blancheur naturelle. Les décorations répandaient sur le sol des vagues lumineuses multicolores. Ce spectacle éblouit Marie-Pier et Valérie.

Vercin invita ses deux compagnes à entrer dans la villa. Il les installa dans le hall d'entrée. C'était une vaste pièce tout en marbre vert et gris, éclairée par des lustres qui brillaient comme des diamants.

— Attendez-moi ici. Je reviens tout de suite.

Le garçon disparut par un long escalier qui conduisait à l'étage.

— Hum ! C'est super-beau ici ! fit remarquer Marie-Pier.

— Tu parles ! Ses parents ne doivent pas être dans la misère.

— Et toi, tu trouves que Vercin...

c'est pas ton genre, lança Marie-Pier à la blague.

— Pas mon genre... Pas mon genre... J'ai dit que je le trouvais un peu frais, c'est tout, expliqua Valérie.

— Il est peut-être frais ; mais moi, je le trouve beau, ajouta Marie-Pier.

— Bien oui.. Bien oui... Je sais. Tu ne penses pas qu'on pourrait parler d'autre chose ? conclut Valérie d'un ton agacé.

Vercin apparut au haut de l'escalier.

— Montez. Je crois que j'ai trouvé ce que vous cherchez.

Valérie et Marie-Pier grimpèrent l'escalier en courant. Dans un boudoir, ils prirent place autour d'une petite table ronde. Vercin sortit d'une boîte des photos, des lettres et un petit carnet d'adresses qu'il étala devant lui.

— Il me semble que j'avais aussi une photo de Perlette.

— C'est pas sa photo que nous voulons. C'est son adresse, dit Valérie d'un ton agressif.

— Calme-toi ! Tu vois bien que Vercin veut nous aider, riposta Marie-Pier.

Vercin prit le carnet d'adresses qui était sur la table et le feuilleta en murmurant :

— T... T... Tribasso ! Voilà, je l'ai. C'est le 3422, rue Les Saules. Voulez-vous aussi son code postal ?

— Non, répondit Marie-Pier. Mais j'aimerais bien avoir son numéro de téléphone.

— Je l'avais. Mais la semaine dernière, j'ai voulu l'appeler et on m'a répondu qu'il n'y avait plus d'abonné à ce numéro. Elle est peut-être déménagée.

— C'est bizarre ! Elle me disait pourtant dans son message qu'elle reviendrait à l'école. Elle voulait absolument me parler, dit Marie-Pier.

— Maintenant que nous avons son adresse, allons-y. Il est presque six heures. Ma mère va s'inquiéter, coupa Valérie.

— Mon Dieu ! Grand-père doit être collé à la fenêtre. J'aurais dû lui téléphoner pour le prévenir que je serais en retard, se souvint tout à coup Marie-Pier.

— Si vous voulez téléphoner, suivez-moi, proposa Vercin.

Les deux amies suivirent leur compagnon dans une petite pièce qui communiquait avec le boudoir. On y voyait un superbe téléphone blanc, avec des boutons lumineux, posé en évidence sur une petite table en verre. Valérie téléphona chez elle et dit à sa mère qu'elle rentrerait bientôt. Maire-Pier fit de même :

— Grand-papa ! J'arrive. Ne t'inquiète pas, je suis avec Valérie.

Après avoir raccroché, Marie-Pier nota le numéro de téléphone de Vercin, inscrit sur l'appareil.

« On ne sait jamais, ça peut servir », pensa-t-elle.

5

Le samedi était une journée très remplie pour Marie-Pier. Surtout la matinée. Elle devait faire le ménage de sa chambre : ranger son linge dans les tiroirs de la commode, passer l'aspirateur, changer ses draps. Bref, toutes sortes de petites corvées dont elle essayait de se débarrasser le plus vite possible. Ce jour-là, elle venait de terminer ses tâches quand le téléphone du salon sonna.

— C'est Valérie. Qu'est-ce que tu fais ?

— Je suis libre...

— Et Perlette ?

— Il faut s'en occuper tout de suite, répondit Marie-Pier.

— S'en occuper comment ?

— J'ai une idée. Allons lui acheter un cadeau de Noël. Qu'en penses-tu ?

— Mais si elle est déménagée... On ne sait pas où elle habite.

— D'abord, il n'est pas sûr qu'elle soit déménagée. On va aller chez elle. On verra bien.

— Bon ! Comme tu veux.

— On pourrait faire les magasins cet après-midi, proposa Marie-Pier.

— Passe par ici. Nous irons au centre commercial juste à côté.

— Bonne idée ! Je suis chez toi dans dix minutes. Salut !

Marie-Pier raccrocha. Puis elle

monta dans sa chambre. Elle tira une boîte cachée parmi les livres de sa bibliothèque. Elle en sortit un billet de dix dollars et quelques pièces de monnaie.

* * *

Le samedi, les magasins sont bondés. Surtout à quelques jours de Noël. Marie-Pier et Valérie allaient d'une boutique à l'autre. Les commis étaient tous très occupés, et elles avaient du mal à se faire servir.

Les deux amies entrèrent dans une petite boutique d'objets d'importation. Il n'y avait que deux clients. Tout à coup, Marie-Pier aperçut des dizaines de serre-tête suspendus à un support métallique.

— Regarde le rouge, dit Marie-Pier. Perlette en a un pareil.

— Elle a dû l'acheter ici.

— On ne va pas prendre la même chose !

— Peut-être un autre modèle...

— Pourquoi pas ? Elle aimera sûrement ça. Achetons-le, décida Marie-Pier.

Les deux amies quittèrent le centre commercial, satisfaites du cadeau qu'elles venaient d'acheter.

Elles allaient s'engager dans une petite rue à l'arrière du centre quand elles aperçurent une jeune fille dans le stationnement. Celle-ci portait un serre-tête. Elle était seule et marchait d'un pas pressé.

— C'est Perlette ! s'écria Valérie.

— Où ça ?

— Là, dans le stationnement.

Marie-Pier et Valérie se mirent à courir. Mais il y avait beaucoup de circulation et elles durent s'arrêter un moment pour laisser passer les voitures. Pendant ce temps, la jeune fille sauta dans une voiture qui démarra aussitôt.

— Non ! dit Valérie. Nous l'avons manquée.

— Crois-tu que c'était Perlette ?

— J'en suis certaine.

La voiture fit un tour sur elle-même puis passa lentement devant les deux filles. Elles se mirent à crier.

— Perlette ! Perlette.

La jeune fille au serre-tête regarda par la vitre, l'air surprise. Qui étaient ces deux filles qui gesticulaient ? La voiture s'éloigna.

Valérie se tourna vers Marie-Pier :

— D'accord, je me suis trompée. Mais elle lui ressemblait. Enfin, un peu.

Marie-Pier ne voulut pas contrarier son amie.

— Et pour le cadeau ?

— On ira demain. Il faut que je rentre, ma mère m'attend, répliqua Valérie.

— Bon ! Tu me téléphones dès que tu es prête.

Marie-Pier rentra tout de suite à la maison. Elle craignait d'être en retard pour le souper. Lorsqu'elle arriva, sa mère l'interpella :

— On t'a téléphoné. C'est Vercin Brochu. Il demande que tu le rappelles. Dépêche-toi. On mange dans quelques minutes.

Marie-Pier grimpa à l'étage. Elle composa le numéro d'un geste nerveux.

— Allô !

— Vercin ! C'est Marie-Pier.

— Salut ! Je t'ai téléphoné pour savoir si t'avais des nouvelles de Perlette.

— Non. Toi, est-ce que tu en as ?

— Je suis passé en fin d'après-midi devant sa maison. Tout avait l'air normal. C'est bien le 3422, son adresse. C'est une maison brune. Elle se trouve au bout de la rue, à côté d'un terrain vague, expliqua Vercin. À part ça, je n'ai rien de nouveau. J'ai parlé à une fille qui la connaît bien. Elle non plus n'a pas eu de ses nouvelles depuis quelques jours.

— Peut-être qu'elle est malade ? dit Marie-Pier.

— C'est possible. En tout cas, si j'ai des nouvelles, je t'appelle.

— Moi aussi. Valérie et moi lui avons acheté un cadeau pour Noël. Nous irons lui porter chez elle demain.

— Tiens-moi au courant, demanda Vercin.

— Promis. Salut !

6

L'emballage du cadeau de Perlette était légèrement défait. Le chou de ruban rose posé sur la petite boîte était tout ébouriffé. Marie-Pier le replaça tant bien que mal. Puis elle choisit une carte de vœux sur laquelle on lisait « Joyeux Noël et Bonne Année ». À l'intérieur de la carte, elle ajouta en écrivant avec application :

« Chère Perlette,

« J'ai bien reçu ton message.

Valérie et moi voulons te faire un petit cadeau pour Noël. J'espère que tu vas l'aimer. Reviens vite à l'école. Nous avons hâte de te voir. Je te souhaite un joyeux Noël et une bonne année. »

« Marie-Pier »
« et Valérie aussi »

Au dos de l'enveloppe, Marie-Pier inscrivit son adresse, sans oublier le code postal. « Si Perlette veut m'envoyer d'autres messages, il serait utile qu'elle ait mon adresse » , pensa-t-elle.

La jeune fille était songeuse. Toute cette affaire la bouleversait. Perlette, était-elle malade ? Était-elle déménagée ? Lui était-il arrivé un malheur ? Autant de questions qui restaient sans réponse.

On était dimanche. Marie-Pier regardait par la fenêtre la neige qui tombait légèrement. Elle téléphona à Valérie :

— Qu'est-ce que tu fais ?

— Je suis en train de décorer l'arbre de Noël, dit Valérie.

— Est-ce qu'on va chez Perlette cet après-midi ?

— Si tu veux. Passe me prendre dans une heure. Je serai prête.

— À tout à l'heure, dit Marie-Pier avant de raccrocher.

* * *

Les deux amies s'engagèrent dans la rue Les Saules. Au bout de la rue, elles aperçurent une maison brune. C'était le 3422. Elles s'arrêtèrent un moment.

— Vas-y. Je t'attendrai ici, dit Valérie.

— Pas question ! Tu viens avec moi.

— On dirait qu'il n'y a personne, dit Valérie.

— On verra. Allez, viens.

Marie-Pier sonna à la porte. Pas

de réponse. Elle sonna de nouveau. Toujours rien.

— J'te dis qu'il n'y a personne, insista Valérie.

— On ne sait jamais... Elle est peut-être couchée. On n'est pas venues ici pour rien. Il faut trouver le moyen de lui laisser son cadeau.

Elles firent toutes deux le tour de la maison. La neige leur arrivait à mi-jambe. Elles regardèrent par les fenêtres du rez-de-chaussée. Tout semblait tranquille et normal. À l'arrière de la maison, un petit escalier de ciment donnait accès à l'entrée du sous-sol. Elles furent surprises de constater que la porte n'était pas verrouillée. Elles hésitèrent un moment à entrer.

— Il vaudrait mieux revenir une autre fois, dit Valérie.

— Quoi ? S'il n'y a personne, on laissera le cadeau dans la maison, c'est tout. Et puis, je serai plus tranquille quand j'aurai vu Perlette.

Marie-Pier entra la première. Valérie la suivit. Au sous-sol se trouvait une grande pièce vide et sombre. Au fond, à gauche, un escalier conduisait au rez-de-chaussée.

— Montons. Nous verrons bien s'il y a du monde, dit Marie-Pier.

— Que j'aime donc pas ça ! protesta Valérie.

— Bien, quoi ! T'as peur ? Fais pas le bébé.

Toutes deux se retrouvèrent bientôt au milieu du salon. Personne. Pas un bruit. Elles jetèrent un coup d'œil dans le couloir menant aux chambres à coucher. Les portes étaient fermées. Elles entrèrent dans la cuisine. De la vaisselle sale traînait partout sur les comptoirs. Des cannettes de bières vides et des boîtes de pizza en carton jonchaient la table.

— Tu vois bien qu'il y a quelqu'un.

Regarde le désordre, dit Marie-Pier.

— Mais c'est quand même louche que tout soit à l'envers comme ça. Il vaut mieux s'en aller.

— Attends ! On va lui laisser le cadeau.

Marie-Pier repoussa de la main quelques cannettes vides et posa sur un coin de la table la petite boîte qui contenait le serre-tête acheté la veille. Elle plaça la carte de vœux juste à côté.

Elles sortirent de la cuisine et s'engagèrent dans l'escalier du sous-sol. Arrivées au pied de l'escalier, elles entendirent un bruit. La porte par laquelle elles étaient entrées s'ouvrit brusquement. Une peur soudaine s'empara des deux amies. Elles restèrent figées lorsqu'elles virent une ombre se glisser vers elles.

Un homme, de vingt ans tout au plus, apparut, un sac d'épicerie dans les mains. Il portait une barbe et une moustache et avait une épaisse chevelure noire. Brusquement, il demanda :

— Qu'est-ce que vous faites ici ?

— On s'en va... On s'en va... répondit nerveusement Valérie.

— On fait rien de mal. On est venues porter un cadeau à Perlette, ajouta Marie-Pier.

— Qui vous a ouvert la porte ?

— Personne. On est entrées par la cave, expliqua Marie-Pier.

— Vous n'avez rien à faire ici, reprit l'homme visiblement contrarié.

Comptant profiter de l'effet de surprise, Marie-Pier et Valérie se précipitèrent vers la porte par où elles étaient entrées. L'homme, laissant tomber son sac, agrippa chacune par un poignet. Il serrait très fort.

— Lâchez-moi ! dit Marie-Pier qui se débattait.

L'homme serrait toujours, très fort.

— Vous me faites mal ! cria Valérie.

L'homme les entraîna de force vers le fond du sous-sol. Valérie et Marie-Pier se démenaient tant qu'elles pouvaient, mais elles n'étaient pas de taille à lutter contre leur assaillant. Il les poussa dans un débarras encombré d'objets divers. Il referma la porte avec fracas et disparut.

7

Valérie et Marie-Pier étaient prisonnières dans une espèce de grand placard froid et humide. Mais il n'y faisait pas complètement noir. Des fenêtres permettaient à la lumière du jour d'éclairer la pièce... indirectement. En effet, un des murs était composé de planches disposées à claire-voie qui laissaient passer un peu de clarté du jour provenant de la grande pièce du sous-sol.

Assise par terre, Valérie pleurait. Marie-Pier tentait de la rassurer :

— Allons ! Il ne nous arrivera rien.

— J'ai peur, dit Valérie qui tremblait de tout son corps.

— Tu verras. Il nous laissera partir. On n'a rien fait de mal. On est juste venues porter un cadeau à Perlette.

Marie-Pier aida Valérie à se relever. Elles sautèrent dans les bras l'une de l'autre.

— Qu'est-ce qu'on va faire, maintenant ? demanda Valérie.

— On va attendre encore un peu.

Au fond du débarras, appuyé au mur, se trouvait un immense meuble blanc qui ressemblait à un congélateur. Marie-Pier remarqua qu'un vieux matelas avait été posé dessus. Elle le tira par terre et dit à Valérie :

— Tiens ! Assis-toi sur ce vieux

matelas. Tu seras plus à l'aise.

Au moment où Marie-Pier avait fait glisser le matelas du congélateur au sol, elle s'était aperçue que le couvercle n'était pas bien fermé. Cela l'intriguait. Elle s'approcha du meuble et souleva le couvercle. Ses yeux s'ouvrirent tout rond.

Le congélateur était plein jusqu'à ras bord, mais son contenu était pour le moins inhabituel. Entassées les unes sur les autres se trouvaient de nombreuses boîtes d'appareils photo, de vidéocaméras, de baladeurs et autres radios.

— Ça alors ! s'exclama Marie-Pier.

— Qu'y a-t-il ?

— Viens voir.

Valérie se leva et s'approcha de son amie. Elle observa les boîtes un instant.

— Eh bien quoi ? C'est rien que des boîtes.

— Je te parie que c'est de la marchandise volée, annonça Marie-Pier à voix basse.

— Tu crois ?

— Sinon pourquoi cacher tout ça à l'intérieur d'un congélateur au fond d'une cave ? Et je te dis qu'il y en a pour quelques sous.

Marie-Pier sortit une des boîtes et lut ce qui était inscrit dessus.

— JVC vidéocassette recorder... Ça vaut au moins cinq cents dollars. Et en dessous, regarde, Sony vidéocaméra... et même un Nintendo !

Mais Marie-Pier n'avait pas le cœur à jouer à Super-Mario. Elle reposa la boîte, puis elle referma le couvercle.

En haut, on entendait des éclats de voix. On ne distinguait pas très bien ce qui se disait, mais le barbu et l'autre ne semblaient pas de très bonne humeur.

— Espèce d'imbécile ! Veux-tu qu'on passe le reste de nos jours derrière les barreaux ?

Le plus jeune marmonna quelque chose.

L'autre reprit :

— Ça peut aller chercher dans les quinze ans !

Le jeune protestait.

Puis les hommes baissèrent le ton, et les filles eurent beau tendre l'oreille en retenant leur souffle, elles ne purent entendre la suite, sauf des bribes de phrases plutôt inquiétantes.

— Si on nous prend avec... trop dangereux...

— Et si...

— Il n'y a pas de si... on va l'enterrer... c'est la seule façon...

Marie-Pier et Valérie échangèrent un regard. Qu'est-ce qu'ils allaient enterrer ? Un cadavre ? Ces deux-là n'étaient sûrement pas des enfants de chœur. Que faisait Perlette dans une pareille galère ? Et où était-elle ? Tout d'un coup, Valérie fut saisie de panique.

— Et si c'était Perlette qu'ils allaient enterrer ?

Marie-Pier essayait de garder son sang-froid, ce qui dans les circonstances n'était pas facile.

— Aide-moi à replacer le matelas.

Les deux amies soulevèrent le lourd matelas et le replacèrent sur le couvercle du congélateur.

— Il faut sortir. Suis-moi.

— Mais comment veux-tu que...

Valérie n'eut pas le temps de terminer sa phrase. Marie-Pier poussait de toutes ses forces une des planches du mur qui était, somme toute, plus fragile qu'elle l'avait d'abord cru.

— Tu m'aides ou tu me regardes, chuchota Marie-Pier.

— Panique pas.

Valérie poussa à son tour. La planche céda sans bruit. La brèche était étroite mais Marie-Pier put s'y glisser facilement. Elle se précipita vers la porte du sous-sol. Elle l'ouvrit, prête à courir à toute vitesse. Mais elle s'arrêta pour Valérie, qu'elle ne sentait plus sur ses talons. Elle se retourna et vit que son amie n'avait pas traversé la brèche aussi aisément. Son manteau s'était accroché à un clou.

Laissant la porte ouverte, Marie-Pier revint vers Valérie. Elle venait tout juste de la libérer lorsque les hommes ouvrirent la porte du sous-sol.

— On se cache, murmura Marie-Pier.

Dans un autre coin du sous-sol, des rouleaux de tapis étaient adossés au mur et des boîtes de carton s'entassaient pêle-mêle. Les deux amies se dissimulèrent rapidement derrière ce bric-à-brac. Elles avaient le souffle court et le cœur en compote.

Les deux hommes furent bientôt dans le sous-sol, tout près de Marie-Pier et de Valérie.

— Regarde, dit le plus vieux, la porte est ouverte. Elles se sont sauvées.

— Pourtant, je croyais... dit le plus jeune.

— Tu croyais... Tu croyais... Espèce d'imbécile ! Quelle idée as-tu eue de séquestrer des fillettes dans cet endroit ! C'est toujours la même chose avec toi. Des bêtises... Tu ne fais que des bêtises, dit le vieil homme d'un ton furieux.

— Je ne savais pas quoi faire avec elles, répliqua le jeune.

— Tu ne sais jamais quoi faire, et quand tu fais quelque chose, tu le fais tout de travers.

Le vieil homme regarda le congélateur toujours couvert du matelas.

— Le matelas est toujours là. Elle n'ont rien dû voir.

Il s'avança vers le congélateur, jeta le matelas par terre, souleva légèrement le couvercle pour vérifier que son contenu y était toujours. Il se retourna vers le jeune homme en lui administrant une paire de gifles.

— Tiens, voilà ce que tu mérites, grand insignifiant ! Tu n'en feras pas d'autres.

Le jeune homme leva le bras pour éviter une autre gifle.

— Où sont-elles maintenant ? demanda le vieil homme.

— J'en sais rien, répondit l'autre.

— Tu n'en sais rien, évidemment ! Triple imbécile !

Le vieil homme prit le matelas et le remit sur le congélateur.

— Est-ce que tu pourrais les reconnaître au moins ?

— Oui, je crois.

— Cela vaudrait mieux pour toi. Tu vas les retrouver et me les ramener ici. Tu comprends ? Tu ferais bien de te grouiller, et vite !

Les deux hommes sortirent du débarras en continuant à se disputer. Ils montèrent au rez-de-chaussée.

Les deux amies étaient toujours au fond de leur cachette. Elles avaient assisté à l'échange entre les deux hommes, pétrifiées de peur.

Une bonne demi-heure passa. À l'étage, les bruits de pas et de voix cessèrent. Marie-Pier sortit la première. Elle prit Valérie par la main et l'entraîna vers la porte. Elles marchaient sur la pointe des pieds. Valérie avaient les mains moites et les yeux encore remplis de larmes.

— Sauvons-nous, dit Marie-Pier en courant jusqu'à la sortie du sous-sol.

Elles gravirent les marches en ciment et s'immobilisèrent un moment en haut de l'escalier. À dix ou quinze mètres, dans le terrain vague à côté de la maison, elles aperçurent un homme en train de faire un trou dans le sol recouvert de neige. Il leur tournait le dos. En retenant leur souffle, Marie-Pier et Valérie longèrent l'arrière de la maison. Le bruit de ses coups de pelles empêchait l'homme de les entendre. Elles atteignirent bientôt le coin de la maison. Elles purent alors avancer plus vite.

Une fois dans la rue, elle se mirent à courir. Elles se sentirent légères, soulagées de la peur qui les avaient écrasées. Elles n'avaient jamais couru aussi vite.

8

Marie-Pier passa une très mauvaise nuit. Elle eut des cauchemars épouvantables. Des fantômes et des monstres affreux la pourchassaient dans de sombres couloirs. Elle rêva aussi qu'elle était prisonnière d'une sorcière qui l'avait forcée à se tenir debout dans une immense marmite remplie d'une matière gluante.

Le lendemain, Marie-Pier prit un bon bain et resta dans sa chambre jusqu'à midi. Sa mère frappa à la porte.

— Est-ce que je peux entrer ?

— Bien sûr.

— Qu'est-ce que tu fais ? Es-tu malade ? Il est plus de midi et tu n'as encore rien mangé.

— Je vais bien. Un peu fatiguée, c'est tout. Je descends tout de suite prendre une bouchée.

Marie-Pier mangea un grand bol de céréales et but une tasse de chocolat. Ce repas la remit d'aplomb. Elle passa au salon et s'installa devant la télévision. Ce qui se déroulait sur le petit écran n'avait aucun intérêt pour elle. Ses pensées étaient ailleurs. Elle revoyait les heures affreuses de la veille.

Valmor vint la trouver au salon.

— T'as bien mauvaise mine, ma petite fille. As-tu perdu un pain de ta fournée ? dit le grand-père.

— Mais non. Qu'est-ce que vous avez donc aujourd'hui ? Est-ce que j'ai si mauvaise mine que ça ? répondit Marie-Pier d'un ton agacé.

— Ça va... Ça va... la Gribouille ! Fâche-toi pas !

— Ah ! Appelle-moi pas la Gribouille. Tu sais que j'aime pas ça.

— Bon ! Allez, repose-toi un peu. Ça te fera du bien, dit le grand-père en lui passant la main dans les cheveux.

* * *

Valérie arriva en fin d'après-midi. Elle aussi avait passé une mauvaise nuit. Elle était encore toute bouleversée des événements de la veille.

Les deux amies rentrèrent dans la chambre de Marie-Pier. Elles pouvaient enfin se parler de leur dernière aventure.

Valérie repassait dans sa tête la

conversation entre les deux hommes comme on repasse une cassette sur un magnétophone. « Ça peut chercher dans les quinze ans... si on nous prend avec... trop dangereux... on va l'enterrer... » Qu'est-ce qui pourrait aller chercher dans les quinze ans de prison ? Un meurtre ?

— Le plus simple serait de prévenir la police. Eux autres sauront quoi faire, ajouta Valérie.

— Je ne suis pas sûre.

— Comment ça ? On ne va quand même pas garder ça pour nous, répliqua Valérie.

— Mais on n'a pas de preuves.

— Il y a la marchandise volée !

— On n'en sait rien. Ils ont peut-être une boutique de stéréos. Et en admettant que tu aies raison, tu vois un peu les ennuis qu'on risque de créer pour Perlette !

Marie-Pier réfléchit. Cet argument était valable.

— C'est vrai, il y a Perlette, murmura Valérie.

Elle resta songeuse un instant, puis ajouta :

— Si elle est toujours de ce monde.

Les deux amies se savaient sur un terrain dangereux. Il leur fallait agir avec prudence. Valérie revint à la charge.

— Ils ont peut-être séquestré notre amie ?

— Pourquoi ?

— Parce qu'elle avait découvert leur trafic !

Toutes les hypothèses étaient bonnes... et elles étaient peut-être toutes mauvaises. Que faire ?

— Parlons-en au moins à ton grand-père. Il était dans la police avant, suggéra Valérie.

— Pas question ! Je connais Valmor. Il se fâchera. Il dira que j'ai été imprudente, que je n'aurais jamais dû aller chez Perlette. Il va me défendre de sortir le soir. Ça va être l'enfer, dit Marie-Pier.

Valérie était inquiète. Elle sentait bien que Marie-Pier avait raison. Mais, elle se rendait aussi compte qu'il fallait faire quelque chose. Elles étaient impliquées, malgré elles, dans ce qui semblait être une sale affaire. On pourrait un jour leur reprocher de n'avoir rien dit.

— Si quelqu'un apprend qu'on était au courant et qu'on n'a rien fait, on pourrait avoir des ennuis, remarqua Valérie.

— Si au moins on parlait à Vercin ?

— À Vercin ? Oui, c'est une bonne idée. Appelons-le tout de suite.

Marie-Pier téléphona à Vercin. Il était sorti et c'est sa mère qui répondit.

— Ici Marie-Pier Charette. Pouvez-vous lui demander de me rappeler, s'il vous plaît ? Il a mon numéro.

Les deux amies parlèrent encore longuement ensemble des événements de la veille, il commençait à se faire tard.

— Je préfère rentrer avant la nuit, dit Valérie.

— Si Vercin appelle, je te tiens au courant. De toute façon, on se voit demain, ajouta Marie-Pier en reconduisant son amie.

* * *

Valérie était sortie depuis à peine trente secondes lorsque la sonnette de la porte d'entrée retentit. Marie-Pier alla ouvrir. Son amie rentra à toute vitesse à l'intérieur.

— As-tu oublié quelque chose ? lui demanda Marie-Pier.

Terrorisée, Valérie était incapable de dire un mot.

— Qu'est-ce que t'as ? s'inquiéta Marie-Pier.

— L'homme... le barbu... celui qui nous a enfermées au sous-sol... bafouilla Valérie.

— Eh bien, quoi ?

— Il est là... dehors... sur le trottoir... en face de la maison.

— Chut ! Pas un mot ! Viens. Montons dans ma chambre.

Elles grimpèrent l'escalier en courant. Valérie se sentait les jambes molles et son cœur battait à tout rompre.

La chambre de Marie-Pier donnait sur la rue. Elle s'avança jusqu'à la fenêtre et leva discrètement un coin du rideau. Elle aperçut l'homme sur le trottoir d'en face.

— C'est bien lui, dit Marie-Pier.

— Comment a-t-il fait pour savoir que nous étions ici ?

— C'est étrange, dit Marie-Pier.

— Peut-être nous a-t-il suivies ?

— C'est possible.

— Mais il faut que je retourne à la maison. Comment vais-je faire ?

— Tu vas dormir ici. Demain, on verra, dit Marie-Pier d'un ton rassurant.

— Tu ne penses pas qu'on devrait appeler la police ? suggéra Valérie.

— Pas question ! insista Marie-Pier. Souviens-toi de ce que je t'ai dit. N'en parle pas à tes parents non plus. Ils vont faire des tas d'histoires.

Valérie téléphona à sa mère pour lui demander la permission de dormir chez Marie-Pier.

La nuit venue, les deux amies eurent beaucoup de mal à s'endormir. De temps en temps, Marie-Pier allait à la fenêtre vérifier si l'homme était toujours à son poste. Tout à coup, brisant soudain le silence qui planait, Marie-Pier lança :

— Au fait ! J'y pense. Sais-tu comment l'homme a fait pour nous retrouver ?

— Il nous a suivies ?

— Non, répondit Marie-Pier. Il a dû trouver la carte de vœux que j'ai laissée à côté du cadeau de Perlette. J'ai indiqué mon adresse au dos de l'enveloppe.

9

Marie-Pier se leva la première. Elle alla tout de suite à la fenêtre pour voir si le barbu était toujours là. Il n'y avait plus personne.

Valérie dormait toujours. Son visage était crispé de peur. Cette aventure la pourchassait jusque dans son sommeil.

Marie-Pier s'habilla en vitesse, sans faire de bruit, et descendit à la cuisine. Elle prépara un petit déjeuner pour deux et remonta dans la chambre. Lorsqu'elle entra, Valérie ouvrait un œil. Marie-Pier s'approcha du lit et posa le plateau sur la table de chevet.

— As-tu bien dormi ?

— J'ai surtout beaucoup rêvé, dit Valérie.

— T'as rêvé à quoi ?

— Je ne m'en souviens plus.

— Après le déjeuner, je t'accompagnerai jusque chez toi.

— Tu n'y penses pas ! Si l'homme nous attrape, qu'est-ce qu'on fait ? riposta Valérie.

— Pas de danger. Il est parti. Il ne peut pas rester planté là toute la journée. Nous sortirons par la porte arrière. Il ne nous verra pas.

— En tout cas, j'ai hâte que toute cette histoire finisse.

— Ne t'inquiète donc pas. Tout ça va s'arranger.

Valérie chipota son toast sans grand appétit et but son chocolat du bout des lèvres. Les deux amies finirent de déjeuner et, comme prévu, sortirent de la maison par la porte arrière.

Il n'y avait presque personne dans les rues. Il faisait froid. À tout bout de champ, Valérie se retournait pour s'assurer qu'on ne les suivait pas.

Les deux amies marchaient à vive allure et arrivèrent chez Valérie sans incident.

— Tu vois, dit Marie-Pier. Je te l'avais bien dit. Il n'y a personne.

Valérie n'était pas complètement rassurée.

— J'espère que l'homme n'a pas mon adresse. S'il fallait qu'il vienne s'installer devant chez moi..

— Tu n'as rien à craindre. Tu vois bien qu'il ne nous a pas suivies. Comment veux-tu qu'il sache ton adresse ?

Valérie monta à sa chambre avec Marie-Pier. Pour l'instant, les deux amies n'avaient partagé leur aventure avec personne. Ce secret leur pesait. Valérie aurait voulu en parler à quelqu'un, mais à qui ? Marie-Pier était plutôt hésitante à raconter à d'autres ce qui s'était passé. Elles étaient prisonnières de leur embarras et de leur incertitude.

— Vercin n'a pas rappelé, dit Valérie.

— C'est vrai. J'avais pourtant laissé le message à sa mère.

— Tu ne trouves pas ça curieux ?

— Comment ça ?

— D'abord, il connaît très bien Perlette. Il a sa photo. Il sait où elle demeure. Il a même son numéro de téléphone. Mais quand on lui demande de nous le donner, il refuse. Il dit que le téléphone a été coupé.

— Et après ?

— Je trouve ça étrange. Il sait beaucoup plus de choses sur Perlette que nous.

— C'est possible, répondit Marie-Pier. Mais ça ne veut pas dire qu'il sait ce qui lui est arrivé. D'ailleurs, la dernière fois, quand je suis rentrée du centre commercial, il m'a téléphoné.

— Qu'est-ce qu'il voulait ?

— Il voulait savoir si j'avais des nouvelles de Perlette. Il m'a dit qu'il était passé devant le 3422 et que tout y semblait normal.

— Tu vois ! répliqua Valérie.

— Je ne vois rien du tout. Il voulait nous aider à la retrouver. C'est tout.

— Nous aider à la retrouver... T'es sûre de ça ? dit Valérie d'un ton sceptique.

— Bon ! Écoute. Nous allons lui téléphoner. On verra bien.

Elles passèrent au salon. Il n'y

avait personne. La mère de Valérie s'affairait dans la cuisine à préparer le réveillon.

Marie-Pier s'installa devant l'appareil et composa le numéro de Vercin :

— Vercin ?

— Oui, c'est moi.

— C'est Marie-Pier. Je suis avec Valérie. Il faut absolument qu'on te voie le plus vite possible. C'est à propos de Perlette.

Il y eut un long silence au bout de la ligne. Marie-Pier enchaîna.

— Vercin ! Tu es toujours là ?

— Oui. Je ne peux pas te parler bien longtemps. Il y a beaucoup de bruit. La maison est pleine de monde.

— Est-ce que tu peux venir chez Valérie ? C'est urgent.

— Pas aujourd'hui. Mes parents reçoivent pour le réveillon et j'ai plein de choses à faire. On se verra une autre fois.

— C'est que... Voilà... ça ne peut pas attendre, répondit Marie-Pier l'air embarrassée.

— Bon ! Disons demain. On pourrait se rencontrer à midi, au centre communautaire, dans la salle de billard, suggéra Vercin.

— Demain, c'est Noël. Le centre communautaire sera peut-être fermé.

— Si c'est fermé, je vous retrouverai à la porte. On trouvera bien un endroit pour parler. Maintenant, il faut que je te laisse, on m'appelle.

Marie-Pier raccrocha lentement. Elle était songeuse. Vercin savait-il quelque chose à propos de Perlette ? Était-il vraiment occupé ? Pourquoi semblait-il si peu intéressé par ce qu'on avait à lui raconter ? Sera-t-il au rendez-vous ?

— Et puis ? Qu'est-ce qu'il a dit ? demanda Valérie.

— Il ne pouvait pas parler. Il nous

a donné rendez-vous demain midi, au centre communautaire.

— Moi, j'ai l'impression qu'il essaie de nous éviter. Tu sais, des fois, je trouve qu'il se prend pour un autre, comme s'il était plus intelligent que tout le monde.

Marie-Pier ne répondit pas. Elle était encore secouée par sa conversation avec Vercin. Elle cherchait en même temps à ne pas communiquer à Valérie ses propres soupçons. Elle n'avait pas envie d'en parler.

Quelques minutes plus tard, Marie-Pier rentra chez elle. Chemin faisant, l'envie lui prit de faire un détour par la rue Les Saules. Par une sorte de fascination bizarre, les lieux de son aventure l'attiraient mais elle se ravisa tout à coup et décida de rentrer directement à la maison.

Elle traversa la rue pour rentrer chez elle, et croisa soudain le regard du jeune barbu qui depuis deux jours surveillait la maison.

Il avait l'air bien décidé, cette fois, à attraper au moins une des prisonnières qu'il avait laissées s'échapper.

Dès qu'elle aperçut l'homme, Marie-Pier fit demi-tour et se mit à courir à toutes jambes. Surpris par cette rencontre soudaine avec la jeune fille, le barbu hésita un instant. Une fois qu'il comprit qu'il venait de voir la personne qu'il recherchait, il se mit à la poursuivre.

La neige foulée par les passants avait fait des trottoirs de véritables patinoires. Marie-Pier dérapa, se ressaisit et reprit sa course de plus belle. Elle regarda derrière elle pour juger de la distance qui la séparait de l'homme.

Le barbu se rapprochait de plus en plus. Il n'était plus qu'à un mètre de sa victime. Il gagna encore un peu de terrain. Il tendit le bras pour saisir l'écharpe enroulée autour du cou de la jeune fille.

Marie-Pier sentit la main de l'homme qui la frôlait. D'un geste brusque, elle s'agrippa à un poteau de signalisation, pivota sur elle-même et retourna sur ses pas. La main du barbu frappa dans le vide, il perdit l'équilibre et s'étendit de tout son long dans la rue.

La chute de l'homme permit à Marie-Pier de le distancer. Elle accéléra sa course jusqu'à l'intersection suivante. Elle se retrouva soudain à la porte du dépanneur du quartier. Beaucoup de gens entraient et sortaient. Elle décida de s'y réfugier.

Ô surprise ! Marie-Pier fonça sur son grand-père qui en sortait.

— Mon Dieu ! où vas-tu comme ça ? demanda Valmor.

Marie-Pier reprit son souffle. Elle

retrouva son calme, prit un air détendu et serra très fort la main de son grand-père.

— Je suis venue te rencontrer. Est-ce que je peux t'aider à porter tes paquets ?

Valmor lui remit un sac. Ils sortirent tous les deux du dépanneur, main dans la main. Dehors, ils croisèrent le barbu qui arrivait en courant. Marie-Pier avança, mine de rien. L'homme ralentit sa course et s'éloigna en jetant un regard décontenancé en direction de Marie-Pier.

10

Marie-Pier et Valérie arrivèrent au centre communautaire à midi pile. Dans la grande salle, une dizaine de personnes échangeaient des vœux et des cadeaux de Noël. Les deux amies allèrent tout de suite dans la salle de billard. Vercin n'était pas encore arrivé.

— Penses-tu qu'il va venir ? demanda Valérie

— Pourquoi pas ? C'est lui-même

qui nous a demandé de le rejoindre ici.

Valérie continuait de douter de Vercin. Elle le soupçonnait secrètement d'en savoir plus qu'il ne le disait sur la disparition de Perlette. Et puis, elle n'aimait pas beaucoup ce garçon. Elle le trouvait trop indépendant et trop sûr de lui. Mais ce qui l'agaçait le plus, c'était que Marie-Pier prenne souvent sa défense.

Vercin apparut dans la salle de billard avec une dizaine de minutes de retard.

— Vous m'excuserez. J'ai été obligé d'aider ma mère à remettre la maison en ordre. Il y avait plein de monde au réveillon.

— T'as pas à t'excuser. L'important, c'est que tu sois là, répondit Marie-Pier.

« On sait bien !... Elle est prête à lui pardonner n'importe quoi », se dit Valérie.

Le trio se retira dans un coin pour discuter :

— Alors ! Qu'est-ce qui se passe ? demanda Vercin.

Marie-Pier prit la parole. Elle lui raconta par le menu détail tout ce qui était arrivé ces derniers jours : la visite au 3422, les heures passées dans le placard du sous-sol, les articles dans le congélateur, la discussion entre les deux hommes, leur fuite, le barbu qui voudrait bien les attraper et les ramener au 3422, sa course folle dans les rues au cours de laquelle elle avait failli se faire prendre.

— Tu ne m'as pas dit que le barbu t'avait poursuivie, dit Valérie, soudain alarmée.

— J'en ai pas eu l'occasion, c'est tout.

— Moi, je trouve que ça commence à être dangereux.

— Ne nous énervons pas, ordonna

Vercin. Il faut s'arranger pour savoir ce qui est arrivé à Perlette. C'est ça le plus important.

— Il faut avertir la police le plus tôt possible. C'est la seule chose à faire, conclut Valérie.

— L'ennui, c'est que, lorsque les policiers sont sur une piste, tout le monde leur semble coupable. Il faut être prudent, dit Vercin.

— En attendant, qu'est-ce qu'on fait ? demanda Valérie.

— Laissez-moi faire. Je vais trouver quelque chose. L'important, c'est de garder tout ça secret, au moins jusqu'à demain, insista Vercin.

Marie-Pier se sentait un peu soulagée. D'abord, elle n'était plus toute seule avec Valérie à partager ce secret. Vercin semblait vouloir prendre les choses en main. C'était encourageant. À condition, bien sûr, de pouvoir lui faire confiance. Mais pourquoi pas ?

Pour l'instant, elle n'avait aucune raison de croire que Vercin n'était pas digne de sa confiance. Elle avait des soupçons, c'est vrai, mais ce n'était que des soupçons.

— Pour commencer, j'aimerais bien aller faire un tour au 3422 Les Saules, dit Vercin.

— Mais t'es fou, ou quoi ! lança Valérie. On a failli se faire tuer, Marie-Pier et moi... Et toi, tu veux retourner là-bas !

— Pas dans la maison, bien sûr. Je veux tout simplement explorer les environs.

— En tout cas, tu iras sans moi. Pas question que je retourne dans ce quartier.

— Si tu veux, moi, je t'y accompagne, Vercin, enchaîna Marie-Pier.

— T'es folle ! Et le barbu ? Qu'est-ce que tu fais du barbu ? Tu te vois arriver face à face avec lui... insista Valérie.

— J'ai pas peur, répliqua Marie-Pier. Et puis, j'irai pas seule. À deux, on peut toujours se débrouiller.

Valérie n'insista pas davantage. « C'est ça... tant qu'il y a Vercin, elle n'a peur de rien », pensa-t-elle. La tournure qu'avaient pris les événements l'agaçait. C'est Marie-Pier qui l'avait entraînée dans cette aventure. Depuis le début, Valérie avait accepté et suivi toutes les décisions prises par son amie, sans dire un mot. Voilà que, tout à coup, Marie-Pier la laissait tomber pour suivre Vercin ! Elle était déçue et irritée à la fois.

Valérie rentra seule à la maison.

Marie-Pier accompagna donc Vercin. Tous deux s'engagèrent dans la rue Les Saules. En ce jour de Noël, tout le quartier était encore endormi. Ils se postèrent en face du 3422. Blottis derrière un gros sapin, ils observaient les lieux.

La maison semblait vide. Tout autour, les dernières traces de pas étaient recouvertes d'une mince couche de neige fraîchement tombée. L'entrée de garage n'avait pas été déblayée.

— On dirait qu'il n'y a personne, dit Vercin.

— C'est pas sûr. Quand je suis venue avec Valérie, on pensait aussi être seules. Et on s'est fait prendre.

— Comment êtes-vous entrées ?

— Par la porte latérale qui donne accès au sous-sol. Elle n'était pas verrouillée.

— Attends-moi ici. Je vais faire le tour de la maison.

— Fais attention... Ne me laisse pas seule trop longtemps. Je ne suis pas très brave.

— Surtout ne bouge pas d'ici, recommanda le jeune homme.

Vercin traversa la rue et disparut

derrière un banc de neige qui s'était formé sur le côté de la maison. Marie-Pier resta là sans bouger. Elle fixait l'endroit par où était passé Vercin.

Les minutes qui s'écoulèrent lui parurent très longues. Vercin ne revenait toujours pas. Marie-Pier avait froid. Ses pieds et le bout de ses doigts commençaient à geler. Une voiture s'arrêta en face du 3422. Elle eut peur. On n'avait pas coupé le moteur. Une femme sortit de la maison voisine et monta dans l'automobile qui démarra aussitôt.

« Ouf ! Je respire » , pensa Marie-Pier.

Au bout d'un moment, Vercin réapparut. Il traversa la rue en courant et vint la rejoindre. Elle l'accueillit avec soulagement.

Le jeune homme ne dit rien. Il fixa longuement le 3422. Il semblait absorbé. Marie-Pier tenta de le secouer :

— As-tu vu quelque chose ?

— Rien... rien...

Puis il garda le silence. Ce mutisme inquiéta la jeune fille. Pendant un instant, elle se demanda si Valérie n'avait pas raison. Vercin savait peut-être plus de choses qu'il ne le montrait. Mais Marie-Pier repoussa rapidement cette idée. Vercin ne faisait peut-être que réfléchir à ce qu'il fallait faire à présent. Elle piétina sur place pour se réchauffer. Puis elle s'approcha du jeune homme :

— Enfin, je suis là, lui dit-elle tendrement.

Vercin tourna légèrement la tête, le regard lointain. Marie-Pier le prit par le bras et se serra contre lui. Le jeune homme réagit aussitôt à ce contact. Il parut embarrassé. Il la regarda un long moment.

Marie-Pier posa sa tête sur son épaule. Vercin aurait bien aimé l'enlacer, mais... comme ça... dans la rue... avec ce froid. Il se sentait maladroit. Il préféra lui prendre la main.

Vercin raccompagna Marie-Pier à la maison. Ils se tenaient toujours la main et marchaient très lentement comme pour faire durer le plaisir d'être ensemble. De temps en temps, elle levait la tête et le fixait ; lui, intimidé, n'osait pas la regarder et se contentait de serrer un peu plus fort la main de la jeune fille.

Chemin faisant, Marie-Pier décida de se débarrasser de ce doute qui lui trottait dans la tête.

— Dis-moi, Vercin... Franchement, est-ce que tu en sais plus que nous sur Perlette ?

— Qu'est-ce que tu veux dire ?

— On a parfois l'impression que tu nous caches quelque chose. D'abord, tu la connais mieux que nous. Tu es déjà allé chez elle. Tu avais son numéro de téléphone. Elle t'a peut-être donné de ses nouvelles ?

— Pas du tout ! Je ne sais pas ce qui lui arrive. Je te le jure.

— Tu le jures ? insista Marie-Pier.

— Bien voyons ! Tu sais bien que, si je savais quelque chose, je te le dirais.

— Tu me rassures. Parce qu'à un certain moment j'ai cru que tu te moquais de moi.

— T'es folle ! Quand même ! Perlette, je l'ai connue un peu... comme ça, c'est tout.

— J'en suis contente. Je te fais confiance. Je veux te dire aussi que je me sens beaucoup mieux depuis que tu es au courant de notre aventure.

Une fois arrivée devant chez elle, Marie-Pier demanda à son copain :

— Veux-tu entrer un moment ?

— Non, je te remercie. C'est le souper de Noël chez moi. Il faut que je rentre tout de suite. Mais demain, venez à la maison, toi et Valérie. Je crois avoir une idée.

— C'est quoi, ton idée ?

— On verra ça demain. N'oublie pas... vers onze heures, midi.

Vercin embrassa Marie-Pier sur les deux joues et s'éloigna aussitôt. Elle était heureuse et rassurée. « Il est vraiment très gentil » , pensa-t-elle.

11

Marie-Pier se réveilla la tête encore pleine de rêves. Elle portait au visage un sourire radieux. C'était la première fois qu'elle éprouvait pour un garçon un sentiment aussi étrange. Un sentiment qu'elle n'arrivait pas à identifier clairement. Était-ce de l'amour, de l'affection, de l'attirance ? Tout cela était trop récent. Elle avait besoin d'un peu plus de temps pour mettre de l'ordre dans ses idées et aussi dans ses sentiments.

Elle téléphona à Valérie :

— Salut ! C'est moi. C'est extraordinaire ! On a une grosse journée devant nous. Vercin nous attend chez lui. Il a plein d'idées... des trucs... des plans. Il va tout nous expliquer ça.

— Que t'es excitée ! dit Valérie. Calme-toi !

Marie-Pier se ressaisit. Elle s'était laissée emporter par son enthousiasme. Elle se rendit compte que Valérie ne partageait pas nécessairement son ardeur. Elle enchaîna d'un ton plus neutre.

— D'accord... d'accord. Je veux juste savoir si tu viens avec moi chez Vercin.

— Ah bon ! Parce que, toi, tu y vas de toute façon !

— Bien sûr !

— Si je comprends bien, vous avez déjà tout planifié, Vercin et toi, ajouta

Valérie qui avait du mal à cacher sa jalousie.

Marie-Pier décida de ne pas insister davantage :

— Comme tu veux.

Il y eut un long silence à l'autre bout du fil. Valérie ne savait plus quoi dire. Elle aurait voulu avoir l'air indépendante ; mais, en même temps, elle ne voulait pas qu'on la laisse pour compte. Elle se décida :

— Bon ! J'irai avec toi. Passe me prendre vers onze heures.

— À tout à l'heure, dit Marie-Pier en raccrochant.

* * *

Vercin accueillit chaleureusement les deux filles. Mais Valérie se rendit vite compte que quelque chose s'était passé entre Marie-Pier et Vercin. À leur façon de se regarder, de se toucher, de se tenir l'un contre l'autre... c'était évident !

Vercin les entraîna dans une grande pièce du sous-sol qui servait à la fois d'atelier et de laboratoire. Il y avait partout des tas de fioles reliées entre elles par des serpentins de verre.

— Qu'est-ce que tu fais avec toutes ces bouteilles ? demanda Marie-Pier.

— Des expériences.

— Quelles sortes d'expériences ? demanda Valérie.

— Bah ! Toutes sortes. C'est facile avec un manuel de chimie. T'as juste à suivre les instructions. C'est comme un livre de recettes.

Marie-Pier fit le tour de la pièce. Elle était émerveillée. Il y régnait un ordre scrupuleux : chaque chose était à sa place.

— J'aimerais bien avoir un labo comme ça chez moi.

— Si tu as envie de faire des expériences, tu peux venir ici quand tu veux, tu sais.

— Je ne dis pas non. Un de ces jours... peut-être, répondit Marie-Pier.

Valérie comprit que l'invitation s'adressait à Marie-Pier seulement. Cela l'énervait un peu. Marie-Pier n'était plus la même depuis qu'elle s'était trouvée seule avec Vercin, la veille. Valérie se sentit de trop. Elle décida de mettre un terme à cette conversation à deux :

— Dis donc, Vercin, tu nous as fait venir ici pour nous expliquer ton plan. Alors, qu'est-ce que tu proposes ?

— J'allais oublier. C'est simple. J'ai mis au point une grenade fumigène.

— Fumi.. quoi ? demanda Marie-Pier.

— Une grenade fumigène. C'est un petit pot en verre qui, quand il se brise, produit un épais nuage de fumée, expliqua Vercin.

— Qu'est-ce que tu veux faire avec ça ? demanda Valérie.

— Voici. J'ai pensé me rendre chez Perlette et lancer ma grenade dans le sous-sol. Pendant ce temps, vous appelez les pompiers et les policiers pour les prévenir qu'il y a un incendie au 3422. Les pompiers arrivent et, en fouillant dans le sous-sol, ils trouvent les articles dans le congélateur. Ils avertissent la police. L'affaire est classée et aucun de nous n'est mêlé à l'affaire.

— C'est génial ! lança Marie-Pier.

— Pas si vite, répliqua Valérie. C'est bien beau, mais il n'y a pas de téléphone au milieu de la rue. Comment on va savoir que la grenade fumi... j'sais-pas-quoi a marché ?

Vercin ouvrit une mallette en cuir et en sortit un double appareil émetteur-récepteur.

— Avec ce walkie-talkie, je pourrai communiquer avec vous directement du 3422. Vous attendrez chez

Marie-Pier. Une fois la grenade lancée, je vous donne le signal. Et vous appelez les pompiers.

— Tu penses que ça va marcher ? demanda Valérie.

— Je ne vois pas pourquoi ça ne marcherait pas, ajouta Marie-Pier.

Les hésitations de Valérie étaient loin d'ébranler la confiance que Marie-Pier vouait à Vercin et à ce qu'il proposait.

— Si ça réussit, tant mieux ; si on manque notre coup, on trouvera un autre moyen, répliqua Vercin.

Ils se séparèrent pour aller prendre leur poste. Ils avaient fixé l'heure H à dix-neuf heures. Vercin testa son walkie-talkie.

— Allô ! Les filles, vous m'entendez ?

— Ça va, on te reçoit dix sur dix, répondit Marie-Pier.

— C'est entendu. Vous ne bougez

pas d'où vous êtes et vous attendez mon signal avant de téléphoner, ordonna Vercin.

— Sois prudent, recommanda Marie-Pier.

— Pas d'inquiétude. À tout à l'heure ! Appel terminé, dit Vercin en fermant son appareil.

À 18 h 25, Vercin sortit de chez lui. Il portait à la main un petit sac en toile contenant sa grenade fumigène et son walkie-talkie. Il arriva en face du 3422 dix minutes avant l'heure H.

Vercin prit tout son temps. Il scruta attentivement les lieux. La rue était déserte. La maison de Perlette était plongée dans l'obscurité, et il n'y avait aucune nouvelle trace de pas autour. Donc, tout était prêt pour l'opération.

À 18 h 55, il traversa la rue et alla vers le côté de la maison. Il brisa une fenêtre et lança sa grenade dans le sous-sol. Aussitôt, un épais nuage de fumée blanche envahit la pièce. Il s'enfuit vers le terrain vague à côté de la maison. Derrière lui, de la fumée sortait par la fenêtre brisée.

Caché derrière un buisson, il prit son walkie-talkie et appela Marie-Pier.

— Allô ! Allô ! Vous m'entendez ? lança Vercin.

— Oui, ici Marie-Pier. Comment ça va ?

— Très bien ! Opération terminée. À vous de jouer maintenant.

— Nous téléphonons tout de suite, répondit Marie-Pier.

Vercin ramassa son sac et quitta les lieux par la rue voisine. Il marchait lentement pour ne pas attirer l'attention. Tout à coup, il entendit les sirènes. Il s'arrêta un moment. Il ne savait pas quoi faire : retourner vers le 3422 ou rentrer à la maison. Sa curiosité le poussa à rebrousser chemin et il alla à nouveau rue Les Saules.

Lorsqu'il arriva en face du 3422, une voiture de pompiers l'y avait précédé. Deux des pompiers, lourdement bottés, défoncèrent la porte du sous-sol d'où s'échappait encore l'épaisse fumée blanche. Les voisins, attirés par le bruit des sirènes, accoururent de partout et entourèrent la maison. Vercin crut que son plan allait réussir.

Quelques minutes plus tard, les deux pompiers sortirent du sous-sol. L'un d'eux tenait au bout d'une longue pince la grenade fumigène qu'il lança dans la neige. Un dernier nuage de fumée se dissipa dans le ciel.

Les pompiers interrogèrent les gens attroupés mais personne n'avait rien vu. Les pompiers clouèrent une planche de contreplaqué pour condamner la porte du sous-sol.

Vercin décida de rentrer chez lui.

12

Valmor dormait dans son fauteuil, le journal du matin éparpillé devant lui, sur le plancher. Marie-Pier arriva sur la pointe des pieds en prenant bien garde de ne pas réveiller son grand-père. Elle ramassa avec précaution le journal et monta dans sa chambre.

Marie-Pier était inquiète. Elle n'avait aucune nouvelle des résultats de l'opération « fumigène » de la veille.

Elle parcourut nerveusement chaque page du journal, cherchant dans le titre des articles un indice révélateur. Rien. Elle n'en finissait plus de tourner les pages. « Comment se fait-il qu'il n'y ait rien dans ce sacré journal ? » pensa-t-elle.

Le téléphone sonna. Marie-Pier se dépêcha de répondre pour que Valmor, qui dormait toujours dans le salon, ne soit pas réveillé.

— Marie-Pier ? C'est moi, Valérie. As-tu des nouvelles ?

— Non. Je n'ai rien trouvé dans le journal.

— Et Vercin ? Il n'a pas téléphoné ?

— Pas encore. J'attends de ses nouvelles.

— C'est étrange. Il aurait pu au moins nous dire comment ça s'est passé, hier soir.

— Je ne vois rien d'étrange à ça.

Il fait comme nous. Il attend.

— Allons donc ! Il était sur place. Il doit bien savoir ce qui est arrivé. Je suis sûre qu'il nous cache encore quelque chose.

L'attitude de Valérie commençait sérieusement à agacer Marie-Pier, qui ne voulait pourtant pas se brouiller avec sa camarade. C'était une bonne amie. Elles se connaissaient depuis des années. Elles avaient grandi ensemble, été à la maternelle ensemble, joué ensemble. Mais, depuis quelques jours, chaque fois qu'il était question de Vercin, Valérie se montrait désagréable et Marie-Pier commençait à lui montrcr des signes d'impatience. Elle répondit à Valérie sur un ton ferme mais poli :

— Arrête ! Tu sais très bien que Vercin ne nous cache rien. Depuis qu'on l'a mis au courant de notre aventure, il a tout fait pour nous aider.

Il a même pris des risques. Cesse de dire qu'il en sait plus que nous sur cette histoire, qu'il nous cache j'sais-pas-quoi...

— Non... mais, des fois, j'ai raison de...

— Dans ce cas-ci, t'as pas raison, coupa Marie-Pier. Vercin a toujours été correct, autant avec toi qu'avec moi. Franchement, je ne te comprends pas.

Valérie comprit tout de suite que son amie avait une confiance aveugle en Vercin. Elle n'insista pas.

— Bon... O.K. ! Fais comme tu veux. Quand tu auras des nouvelles, appelle-moi.

Et Valérie raccrocha aussitôt.

Marie-Pier était désolée de la tournure qu'avait prise la conversation. Elle ne voulait surtout pas se fâcher avec son amie. Quoi faire ? La rappeler tout de suite et lui dire : « Je m'excuse Valérie. Tu as raison. C'est moi qui ai tort ». Ou bien ne rien faire et attendre. Marie-Pier choisit la deuxième solution. « C'est fou ce qu'on peut faire ou dire par jalousie », pensa-t-elle.

* * *

Les quatre notes du carillon électrique de la porte tirèrent Valmor de sa sieste de l'après-midi. Il bougonna :

— Qu'est-ce que c'est encore ?

Il sortit péniblement de son fauteuil pour aller répondre.

— Est-ce que Marie-Pier est ici ? demanda Vercin en voyant le vieil homme à l'air maussade.

Valmor ne lui répondit pas et laissa entrer le jeune homme.

— Marie-Pier ! Il y a quelqu'un pour toi, cria Valmor.

Marie-Pier eut du mal à cacher sa surprise en apercevant Vercin.

— Toi, ici ! Mais qu'est-ce qui se passe ?

— Rien de bien spécial... on a manqué notre coup, chuchota-t-il.

— Que s'est-il passé ? J'ai regardé dans le journal et je n'ai rien trouvé.

Marie-Pier et Vercin passèrent au salon. Valmor se retira discrètement dans la cuisine. Le jeune homme avait l'air déçu. Le plan qu'il avait mis au point avec tant de soin n'avait pas marché. Il avait l'impression de perdre la face.

Après un moment de réflexion, Marie-Pier se souvint d'un détail essentiel.

— Au fait... j'y pense. Quand nous sommes sorties par le sous-sol, Valérie et moi, nous avons vu un homme creuser un trou dans la neige dans le terrain vague, à côté de la maison.

— Qu'est-ce que tu racontes ?

— On a vu un homme au beau

milieu du terrain vague qui creusait, répéta Marie-Pier.

Vercin comprit qu'on venait de lui fournir une planche de salut.

— Voilà qui nous ramène à l'hypothèse du meurtre ! Quand on creuse en plein hiver, c'est pas pour planter des fleurs !

Maire-Pier ne disait rien. Elle écoutait Vercin avec admiration. Tout semblait si simple avec lui. Elle décida de faire totalement confiance à son copain pour la suite des événements.

— Alors... Qu'est-ce qu'on fait ?

— D'abord, il faut que tu me montres l'endroit précis où tu as vu l'homme creuser.

— Tu veux que je retourne avec toi là-bas ?

— C'est absolument nécessaire.

— Bon ! Allons-y tout de suite, puisqu'il le faut, ajouta Marie-Pier, résignée.

Vercin semblait décidé à passer à l'action. Marie-Pier était plus hésitante. Même si elle se sentait en sécurité avec son compagnon, cette visite sur les lieux de leur emprisonnement ne lui plaisait pas tellement. Cette aventure avait commencé une semaine plus tôt, et elle n'en voyait plus la fin. À cause d'elle, elle s'était presque brouillée avec Valérie qui boudait dans son coin. Les vacances des fêtes allaient se terminer sans qu'elle ait fait de ski ou de patin. Ce va-et-vient incessant entre le 3422, la maison de Vercin et celle de Valérie l'angoissait. Elle vivait dans l'incertitude et la peur. Pourtant, elle ne voulait pas abandonner Vercin qui semblait prendre cette affaire à cœur. Et puis il y avait Perlette qui avait disparu...

Une fois arrivés près du 3422, Vercin et Marie-Pier avancèrent dans le terrain vague. La jeune fille indiqua l'endroit où l'homme avait creusé le trou. On voyait encore une légère butte où la neige avait été retournée.

— Il vaut mieux ne toucher à rien, dit Vercin

— Mais...

Le jeune homme fit un signe indiquant qu'il avait une idée.

— Cette fois-ci, ça va marcher.

13

Marie-Pier était affaissée sur une espèce de gros futon gris et regardait Vercin qui s'affairait dans son laboratoire-atelier. Il tira une boîte en bois d'un placard et la traîna jusqu'au milieu de la place. À l'aide d'une pince monseigneur, il décloua le couvercle et transféra le contenu de la boîte dans un large sac de toile.

Marie-Pier suivait avec admiration chaque geste de Vercin. Elle était émerveillée par la détermination de son ami, par sa débrouillardise, sa ténacité et son courage. Il n'abandonnait pas.

En début d'après-midi, Vercin avait dû appeler plusieurs fois Marie-Pier avant de la convaincre de le rejoindre chez lui. Il avait, disait-il, un nouveau plan pour résoudre l'énigme du 3422 Les Saules. Il paraissait si déterminé à continuer son enquête, à tenter une nouvelle expérience, qu'elle accepta finalement d'y aller.

Marie-Pier était donc là, assise dans un coin de la pièce, ne comprenant pas trop ce que machinait son copain.

— As-tu des nouvelles de Valérie ? demanda Vercin.

— Je lui ai téléphoné ce matin, répondit Marie-Pier. Elle a la grippe et sa mère ne veut pas qu'elle sorte.

— Tu le crois vraiment ?

— Oui. Après tout, il est possible qu'elle soit malade.

— J'en suis pas si sûr. Ce qui m'inquiète surtout, c'est qu'elle pourrait décider d'avertir la police.

— Pourquoi ?

— Rappelle-toi. Au début, elle n'était pas d'accord avec nous. Elle voulait mêler tout le monde à cette affaire : ses parents, les policiers... Si jamais elle fait ça, elle fait rater mon plan, dit Vercin avec agacement.

Mais Marie-Pier savait, elle aussi, que cette grippe n'était qu'un prétexte. Elle n'avait pas voulu dire à Vercin que Valérie se méfiait de lui, et qu'en plus elle était jalouse. Elle tenta de détourner la conversation :

— Au fait, c'est quoi, ton plan ?

— Il est trop tôt pour en parler, répondit Vercin.

— Et moi, dans tout ça, qu'est-ce que je fais ?

— La même chose que l'autre jour. Tu t'installes chez toi, tu attends mon appel par walkie-talkie et tu préviens les policiers.

— Je leur dis quoi, aux policiers ?

— Je ne sais pas encore, répondit Vercin. Si tout se déroule normalement, je te dirai quoi leur dire.

— Et si ça ne marche pas ?

— On verra. Je te donnerai mes instructions par walkie-talkie.

Tant de mystère plongeait Marie-Pier dans une sombre inquiétude. Ce garçon semblait avoir de bien étranges projets ! L'affaire du 3422 était devenue son affaire. Pourtant, ce sont Valérie et elle qui ont failli laisser leur vie dans cette aventure ! Voilà que, maintenant, Vercin prenait les choses en main, donnait des ordres ; et elle, Marie-Pier, n'avait rien à dire...

— Est-ce que je pourrais au moins savoir ce que tu comptes faire ? demanda Marie-Pier.

— Ne t'inquiète pas. Tout va bien se passer. Est-ce que tu me fais toujours confiance ?

— Oui... Mais j'aimerais quand même...

— Tu n'as rien à craindre, coupa Vercin. Tu restes chez toi comme la dernière fois et tu attends mon appel.

14

Sur le chemin du 3422 Les Saules, Vercin s'arrêta un moment dans l'entrée d'un immeuble. Son sac lui semblait de plus en plus lourd. Il le posa par terre, prit son walkie-talkie et appela Marie-Pier :

— Ici Vercin. Premier appel. Opération Pyro. Papa, Yankee, Roméo, Oscar.

Vercin était très fier de connaître son code international de radio. Il enchaîna :

— Il est 19 h 20. À toi.

— Ici Marie-Pier. Je te reçois dix sur dix. À toi.

— Es-tu prête à recevoir mes instructions ? Je devrais t'appeler dans quinze ou vingt minutes. À toi.

— Je suis dans ma chambre, juste à côté du téléphone. J'attends ton appel. Sois prudent. À toi.

— Ne t'inquiète pas. Tout va bien se passer. À tout à l'heure. Appel terminé.

Vercin ferma son appareil, le replia et le glissa dans la poche de son manteau. Il reprit son sac et continua vers la rue Les Saules.

Arrivé en face du 3422, Vercin fut surpris par l'animation qui régnait autour de la maison. Un camion était stationné dans l'entrée. Vercin aperçut deux hommes, un jeune barbu et un vieux, qui avaient sorti un divan et le rangeaient dans le camion. Les

Tribasso s'apprêtaient à partir.

Vercin se réfugia derrière un buisson d'arbrisseaux sauvages et enneigés se trouvant entre la maison et le terrain vague. Ce lieu d'observation lui permettra de suivre, sans être vu, tout ce qui se passe au 3422.

Une dizaine de minutes plus tard, les deux hommes rentrèrent dans la maison en fermant la porte derrière eux. Le moteur du camion était toujours en marche. « S'ils réussissent à fuir, mon plan tombe à l'eau, pensa Vercin. Il faut que je fasse quelque chose. »

Quelques minutes s'écoulèrent encore. Les deux hommes étaient toujours à l'intérieur. Vercin était nerveux. « Je n'ai pas le choix. C'est ma dernière chance » , se dit-il.

Vercin cacha son sac derrière le buisson et courut jusqu'au camion. Il ouvrit la portière du côté du passager, se glissa dans le camion, coupa le contact du moteur et prit la clef. Il retourna ensuite se cacher derrière le buisson.

« Ouf ! J'ai eu chaud ! » pensa Vercin. Il tremblait de tout son corps. Il attendit quelques instants, le temps de se ressaisir.

La butte de neige qu'il avait repérée plus tôt, avec Marie-Pier, était juste à quelques mètres de lui. Tout était maintenant en place pour l'opération Pyro.

Vercin ouvrit le sac posé à côté de lui et en retira plusieurs grosses fusées. Il courut jusqu'à la butte de neige. Ses mains tremblaient. Il planta les fusées de feu d'artifice sur la butte à l'endroit précis où la neige avait été retournée. Il revint ensuite se cacher. De son sac, il sortit encore un détonateur. Dès qu'il l'actionna, des bouquets d'étincelles multicolores s'élevèrent dans le ciel, suivis d'une pétarade qui retentit dans tout le quartier. Le ciel s'embrasa de rouge, de vert et de bleu. Le bruit précipita les voisins aux fenêtres. Quelques-uns sortirent sur leur balcon, étonnés et ravis d'assister à un spectacle imprévu.

Pendant ce temps, Vercin bien caché, sortit son walkie-talkie et appela Marie-Pier.

— Ici Vercin. Opération Pyro dans sa première phase. Tout marche comme prévu. Tu appelles les policiers tout de suite. La raison : des enfants ont allumé un feu d'artifice en face du 3422. C'est urgent ! À toi.

— Ici Marie-Pier. Message reçu. J'appelle tout de suite. À toi.

— À bientôt. Appel terminé, dit Vercin avant de refermer son walkie-talkie.

Les deux hommes réfugiés à l'intérieur du 3422 n'osèrent pas sortir. Ils étaient à la fenêtre, les yeux braqués sur les gerbes d'étincelles qui crépitaient dans le ciel, au-dessus de chez eux.

Vercin profita de l'effet de surprise pour continuer l'opération Pyro. Il fallait entretenir le feu d'artifice jusqu'à l'arrivée des policiers. Avec son détonateur, il déclencha une nouvelle mise à feu. Une pluie d'étincelles brillantes se mit à serpenter sans fin autour des fusées, illuminant le 3422 et les environs.

Les curieux commencèrent à envahir le terrain vague. Vercin s'éloigna de son buisson, enfouit son sac dans la neige et vint se mêler à la foule, comme si de rien n'était.

Au même moment, trois voitures de police arrivèrent. Les policiers regardèrent s'éteindre les fusées qui crachaient encore leurs serpentins lumineux.

Il y avait beaucoup d'agitation au 3422. Un des deux hommes, le plus vieux, n'en finissait plus d'aller de la maison au camion. De toute évidence, il cherchait désespérément la clé du véhicule. Avec tous ces policiers autour, les Tribasso étaient pressés de déguerpir.

Les policiers se tenaient toujours autour de la butte de neige, et discutaient avec les voisins. Vercin restait à l'écart, sur le trottoir d'en face à observer ce qui se passait.

Quelques minutes plus tard, les deux voitures de police repartirent. Les deux policiers de la troisième voiture restèrent à discuter avec les voisins. Tout le monde avait l'air de bien s'amuser. Des éclats de rire et de voix retentissaient dans tout le quartier. « J'espère que les policiers ne sont pas venus ici uniquement pour s'amuser » , se dit Vercin. Il prit son walkie-talkie et appela Marie-Pier.

— Ici Vercin, Opération Pyro,

deuxième phase. Ça ne marche pas comme je le voudrais. Rien ne se passe. Les policiers n'ont rien trouvé. En fait, ils ne cherchent pas. À toi.

— Ici Marie-Pier. Message reçu. Veux-tu que je lance un autre appel d'urgence aux policiers ? À toi.

— Non, pas nécessaire. Je viens d'avoir une idée. Appel terminé.

L'autre voiture de police était stationnée à quelques mètres seulement de Vercin. Il s'en approcha tranquillement. Il ouvrit la portière du passager. Sur la banquette avant, il trouva un bloc-note et un stylo à bille. Il rédigea nerveusement un court message :

> « Très urgent
>
> « Sous la butte de neige, là où étaient les fusées du feu d'artifice, il y a un cadavre. Il a été mis là par les gens qui habitent le 3422. Dépêchez-vous ! »
>
> « Un ami »

Vercin plaça le message bien en vue sur le volant de la voiture. Il courut se réfugier derrière une camionnette stationnée un peu plus loin.

Quelques minutes passèrent qui parurent des heures à Vercin. « Mais qu'est-ce qu'ils font ? » pensa-t-il. Puis, lentement, les policiers retournèrent à leur voiture.

Vercin les regarda avec anxiété. Il vit enfin les policiers lire son message. Tout pouvait arriver maintenant, à condition que son message soit crédible.

Debout à côté de la voiture, un des policiers lut le message puis le passa à son confrère. Ils se consultèrent un moment.

Les hommes du 3422, toujours à la fenêtre, suivaient de près ce qui se passait dans la rue. Lorsqu'ils virent les policiers se diriger tout droit vers la maison, ils éteignirent toutes les lumières et sortirent.

Les deux hommes se faufilèrent à côté du camion stationné dans l'entrée et coururent vers le terrain vague. Un des policiers les aperçut. Il les interpella :

— Hé ! Là ! Un instant ! On voudrait vous parler.

Les deux hommes se retournèrent mais poursuivirent leur course.

Le policier dégaina son arme et lança :

— Arrêtez ! C'est un ordre.

Les deux hommes comprirent que la partie était perdue. Ils se figèrent. Rejoints par les policiers, ils se retrouvèrent quelques secondes plus tard jetés sans ménagement à plat ventre, la tête dans la neige. Chacun avait le canon d'un pistolet à la tempe.

Les policiers procédèrent à une fouille minutieuse avant de menotter les deux malfaiteurs. Puis ils les firent se relever et les entraînèrent vers la butte de neige. Les deux lascars avaient la mine basse. Ils pensaient à ce qui les attendait.

Vercin, caché derrière la camionnette, suivait le déroulement des événements. Il prit son walkie-talkie et appela Marie-Pier.

— Ici Vercin. Opération Pyro dans sa dernière phase. Tout va bien. Les policiers viennent de prendre les Tribasso au collet. À toi.

— Ici Marie-Pier. Message reçu. Qu'est-ce qui se passe ? Raconte-moi vite. À toi.

— Ici Vercin. Un des policiers est allé chercher une pelle et l'a donnée au barbu. Celui-ci est en train de creuser à l'endroit que tu m'avais montré l'autre jour. Cette fois, je crois que nous avons réussi. À toi.

— Ici Marie-Pier. C'est super ! Est-ce qu'ils ont trouvé quelque chose ? À toi.

— Ici Vercin, cette fois, c'est gagné ! Le barbu vient de déneiger... on dirait... une toile... un genre de sac en toile... un grand sac... À toi.

— Ici Marie-Pier ! Pourvu que le cadavre de Perlette ne soit pas à l'intérieur ! C'est trop horrible ! À toi !

— Je ne peux pas voir d'ici. Je suis trop loin. Je retourne chez moi et je t'appelle aussitôt rentré. Appel terminé.

En fait, le pauvre Vercin qui n'avait jamais vu un mort de sa vie ne tenait pas à rester sur les lieux plus qu'il n'était nécessaire.

15

Le mardi suivant les cours recommençaient. Vercin et Marie-Pier arrivèrent à l'école main dans la main. Le succès de l'opération Pyro les avait rapprochés. Ils se voyaient presque tous les jours, chez Vercin ou chez Marie-Pier, ou encore dans le petit restaurant où ils s'étaient, une fois, donné rendez-vous.

Valérie vit Vercin et Marie-Pier alors qu'ils venaient de faire leur entrée dans la grande salle de l'école. Elle resta à l'écart. Elle n'avait pas envie d'aller les rejoindre.

Les événements des derniers jours chagrinaient profondément Valérie. D'abord, on n'avait pas fait appel à elle pour l'opération Pyro. Mais elle savait que c'était à cause de son attitude à elle. « Ils auraient pu au moins me téléphoner », se répétait-elle.

Elle ne s'était jamais sentie à l'aise avec ce garçon, trop beau, trop élégant et surtout trop distant. Elle comprenait, sans se l'avouer vraiment, que par sa méfiance et son antipathie à l'égard du garçon elle avait tenté d'en éloigner Marie-Pier.

Ses propres sentiments n'étaient pas très clairs pour Valérie. Ses pensées s'embrouillaient. Plus elle réfléchissait à tout cela, plus ses idées étaient confuses.

La cloche sonna, annonçant le début des cours.

Vercin et Marie-Pier se séparèrent après s'être embrassés sur la joue. Valérie vit ce geste, éclata en sanglots et rentra chez elle.

*   *   *

Le midi, Marie-Pier allait toujours manger chez elle. Quand elle revint ce jour-là, elle voulut rejoindre Vercin. Le jeune homme était à la cafétéria. Il ne la vit pas venir. En fait, il semblait beaucoup trop préoccupé à raconter « ses exploits » à la petite troupe qui s'était rassemblée autour de lui. À l'entendre, Marie-Pier ressentit une douleur au creux de la poitrine. Leur aventure était très clairement devenue « son » aventure.

La jeune fille fit malgré tout mine de rien. Elle alla rcjoindre le groupe et sortit fièrement de la poche de son manteau une page de journal pliée en quatre qu'elle étala sur la table.

Vercin prit la page et se mit à lire à haute voix le début de l'article. « L'affaire de la rue Les Saules : Deux receleurs sont pris la main dans le sac. Ils sont arrêtés au moment où ils tentaient de fuir. Les deux complices trafiquaient sur une grande échelle des objets volés dans des magasins ou entrepôts d'électronique. On a retrouvé dans un grand sac que les bandits avaient enterré une somme assez importante en petites coupures. Les deux hommes avaient l'intention de revenir à l'été pour chercher leur butin. Par ailleurs, le camion à bord duquel ils s'apprêtaient à s'enfuir contenait un nombre considérable d'articles volés. Il semble que les individus appréhendés appartenaient à un réseau. La police continue son enquête. »

— Toujours la même chose. Pas un seul mot sur Perlette, dit Marie-Pier.

— Ça fait déjà presque une semaine que les Tribasso ont été arrêtés, la police doit savoir où elle se trouve, répliqua Vercin.

— Je suis tout de même curieuse de savoir ce qui lui est arrivé. Pauvre Perlette !

Vercin poursuivit la lecture de l'article. Puis, l'air soucieux, il plia la page et la remit à Marie-Pier en ajoutant :

— En tout cas, pour moi, c'est plus que de la curiosité. Il faut que je retrouve Perlette à tout prix, maintenant que je suis certain qu'elle est toujours vivante.

— Tu as raison, s'enthousiama Marie-Pier. Je sais ce qu'on devrait faire.

Mais Vercin levait déjà la main.

— Laisse tomber, Marie-Pier. J'en fais mon affaire.

La jeune fille encaissa mal la rebuffade.

— J'ai compris, ajouta-t-elle d'un air boudeur.

— Ne prends pas ça de travers. C'est normal que je veuille la revoir. Après tout, je la connais depuis longtemps, expliqua Vercin.

— Mais je pensais que...

— Voyons, Marie-Pier, crois-tu que j'aurais fait tout ça si cela n'avait été pour elle ?

Marie-Pier ne répondit pas. Elle était contrariée et triste. « Au fond, tout ce qui l'intéresse, c'est Perlette » , pensa-t-elle. Elle avait le cœur gros et était au bord des larmes. Elle prit un moment à se ressaisir.

— Maintenant, je dois partir, dit Marie-Pier en se levant.

Marie-Pier s'éloigna rapidement. Lorsqu'elle se sut hors de vue de Vercin, elle prit un mouchoir de papier et essuya une larme. Devant les autres, Vercin était un tout autre garçon. Valérie l'avait déjà compris.

Après l'école, Marie-Pier rentra directement chez elle. Elle avait le cœur chaviré et la larme facile. Vercin avait franchement manqué de délicatesse avec elle en avouant : « Est-ce que tu crois que j'ai fait tout ça pour une autre raison ? » Oui, Valérie avait raison. « Ce garçon est trop sûr de lui ; il se prend pour un autre » , pensa Marie-Pier. Elle était bien résolue à être aussi indépendante que lui, et surtout à ne pas faire les premiers pas.

Valmor accueillit sa petite-fille :

— Mon Dieu ! Que tu as l'air misérable.

— J'vais très bien, répondit Marie-Pier d'un ton qui ne laissait aucun doute sur son véritable état d'esprit.

— Regarde comment t'es accoutrée ! Tu ne passeras pas l'hiver si tu continues à sortir à moitié habillée.

La grippe est mauvaise ces temps-ci.

— Ah ! Grand-papa ! J'suis plus un bébé. Tu dis toujours la même chose. La grippe, c'est un virus. On peut l'attraper même avec un capot de chat rongé par les mites... comme le tien.

— O.K. ! O.K. ! N'en parlons plus. Mais quand tu seras malade, ne viens pas te plaindre, répliqua Valmor. Tiens ! Justement, tu as reçu une lettre.

Marie-Pier prit l'enveloppe. Elle l'examina un moment. Puis, d'un geste nerveux, elle l'ouvrit en prenant garde de ne pas déchirer l'adresse inscrite au dos.

La curiosité poussa Marie-Pier à sauter à la signature.

— C'est de Perlette ! s'écria-t-elle tout énervée.

« Chère Marie-Pier,

« Merci pour ton beau cadeau et ta carte. J'en suis très contente. Je viens de les recevoir dans une grande enveloppe. Je ne sais pas qui me les a fait suivre jusqu'ici. Mais ça n'a pas d'importance. Je l'ai reçu, c'est ça qui compte.

« Je viens de passer des jours terribles. Je ne sais pas si tu es au courant de ce qui s'est passé à la maison. Je n'ai pas envie de tout raconter. Seulement, je pense que tu as le droit de savoir au moins ce qui m'arrive.

« D'abord, il n'y a pas lieu de t'inquiéter, je suis en sécurité. Mon père adoptif avait déjà eu des ennuis avec la justice, mais on pensait que c'était fini. Avant Noël, je me suis aperçue qu'il se livrait à des activités douteuses avec un jeune complice, et, en apprenant cela, ma tante qui habite aux États-Unis m'a immédiatement fait venir chez elle. C'est de là que je t'écris.

« On pense que ces histoires n'arrivent qu'aux autres, et j'étais loin de me douter que je vivais dans la maison d'un voleur. J'ai tellement honte de tout cela, et, pourtant, je n'y suis pour rien. J'ai l'impression que, si je retourne à l'école, tout le monde me montrera du doigt.

« Je ne sais pas quand je pourrai te revoir. J'espère que ce sera bientôt. Je me sens très seule. Écris-moi. »

« Amicalement, »
« Perlette »

16

Marie-Pier enfila son manteau, glissa la lettre de Perlette dans la poche et sortit en courant. Elle alla tout droit chez Valérie.

Elle n'avait pas eu de nouvelles de son amie depuis quelques jours. Bien sûr, il y avait eu cette grippe qui l'avait terrassée au moment de l'opération Pyro, mais elle n'avait jamais été aussi longtemps sans donner de ses nouvelles.

C'est la mère de Valérie qui accueillit Marie-Pier :

— Valérie est dans sa chambre. Tu peux aller la voir, si tu veux.

— Est-ce qu'elle a encore la grippe ?

— Non. Sa grippe est passée. Mais ces temps-ci, elle est déprimée, répondit la mère de Valérie.

Marie-Pier entra dans la chambre. Valérie était couchée sur le lit. Quand elle aperçut Marie-Pier, son visage se durcit.

— Qu'est-ce que tu viens faire ici ?

Marie-Pier tenta de sourire.

— Qu'est-ce qui se passe ? demanda-t-elle en s'approchant du lit.

— Va-t'en ! Laisse-moi tranquille. Je veux être seule, répondit Valérie.

Elle plongea ensuite la tête dans son oreiller et se mit à pleurer. Marie-Pier s'assit au bord du lit. Elle chercha à consoler son amie :

— Est-ce que je peux t'aider ?

— Surtout pas ! répondit Valérie en se dressant sur son lit. Va retrouver ton Vercin ! Je ne suis pas assez bien pour vous.

— Mais qu'est-ce que tu racontes ?

— Tu le sais très bien, dit Valérie, les yeux remplis de larmes. Depuis que tu as rencontré ce gars-là, tu ne me parles même plus. Tu me fuis. Si tu le trouves si bien que ça, reste avec lui. Viens pas me déranger.

— Tu t'en fais pour rien, dit Marie-Pier. Tu sais, Vercin et moi, ce n'est pas très sérieux.

Deux grosses larmes coulèrent sur les joues de Marie-Pier. Elle s'essuya les yeux du revers de la main. Mais Valérie s'en aperçut. Toutes les deux éclatèrent en sanglots. Elles se prirent par le cou et pleurèrent à chaudes larmes l'une contre l'autre pendant un bon moment.

— Excuse-moi, dit Valérie.

— Je suis contente que toute cette histoire soit terminée.

Les deux amies se regardèrent tout étonnées. Puis elles éclatèrent de rire, d'un rire mêlé de pleurs.

En fin de compte, l'aventure et la peur qu'elles avaient partagées ces dernières semaines les avaient rapprochées.

Marie-Pier tira la lettre de Perlette de la poche de son manteau et la tendit à Valérie.

— Tiens ! Lis ça. C'est une lettre de Perlette que je viens de recevoir.

Valérie parcourut la lettre très rapidement.

Elle leva enfin les yeux et dit :

— C'est merveilleux ! Au moins, elle est en sécurité. As-tu son adresse ?

— Oui. Elle est au dos de l'enveloppe.

— Bon ! On va lui écrire tout de suite.

Marie-Pier et Valérie éprouvaient maintenant pour Perlette un véritable sentiment d'amitié ; en tout cas, plus chaleureux et empressé qu'auparavant. La lettre qu'elles lui écrivirent traduisait plus que la simple satisfaction de la savoir hors de danger et en sécurité. C'était un message d'espoir, un vœu sincère de retrouvailles prochaines et une déclaration de franche amitié.

— Tu sais, dit Marie-Pier, j'aurais envie d'aller trouver Perlette aux États-Unis et de la ramener. Je suis sûre qu'elle s'ennuie. Ici, il y a plein de gens qui l'aiment.

Ainsi, les deux filles étaient redevenues amies. La vie avait repris son cours.

— Je n'ai pas du tout envie d'être toute seule, ce soir, dit Marie-Pier. Viens souper à la maison.

— Je serai prête dans dix minutes, répondit Valérie, trop heureuse de retrouver toutes ces petites habitudes d'une longue amitié.

Dans la collection Boréal Junior

1. *Corneilles* de François Gravel
2. *Robots et Robots inc.* de Philippe Chauveau
3. *La Dompteuse de perruche* de Lucie Papineau
4. *Simon-les-nuages* de Roger Cantin
5. *Zamboni* de François Gravel
6. *Le Mystère des Borgs aux oreilles vertes* de Marc-André Paré
7. *Une araignée sur le nez* de Philippe Chauveau
8. *La Dompteuse de rêves* de Lucie Papineau
9. *Le Chien saucisse et les Voleurs de diamants* de Raymond Plante et André Melançon
10. *Tante-Lo est partie* de Francine Girard
11. *La Machine à beauté* de Raymond Plante
12. *Le Record de Philibert Dupont* de Raymond Plante

DANS LA COLLECTION BORÉAL INTER

1. *Le raisin devient banane* de Raymond Plante
2. *La Chimie entre nous* de Roger Poupart
3. *Viens-t'en Jeff* de Jacques Greene
4. *Trafic* de Gérald Gagnon
5. *Premier But* de Roger Poupart
6. *L'Ours de Val-David* de Gérald Gagnon
7. *Le Pégase de cristal* de Gilberto Flores Patiño
8. *Deux heures et demie avant Jasmine* de François Gravel
9. *L'Été des autres* de Johanne Mercier
10. *Opération Pyro* de Saint-Ours
11. *Le Dernier des raisins* de Raymond Plante
12. *Des hot-dogs sous le soleil* de Raymond Plante (à paraître)
13. *Y a-t-il un raisin dans cet avion ?* de Raymond Plante

Infographie : Édition•Typographie•Conseils (ETC)
Montréal, Québec

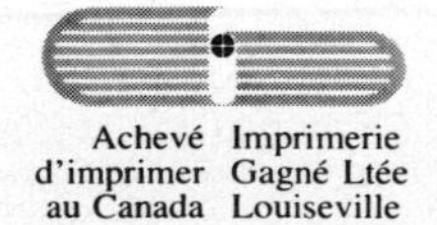

Achevé d'imprimer au Canada
Imprimerie Gagné Ltée Louiseville

Mars 1991